臺中市政府文化局 遠景 VISTA PUBLISHING

海線散步

清水人文地誌學

海線散步
清水人文地誌學
CONTENTS

市長序

溫和自信的幸福城市

林佳龍

臺中市是一座充滿陽光活力的健康城市，擁有豐富人情味與生活、生態、生產的生命力，是個適合安身立命、成家立業的好地方，有著無限可能的發展性。

要在一座城市落地生根，要先宜居，才會有移居，進一步怡居。臺灣雖然面臨少子化，然而近年來臺中市人口每年都增加將近上萬人，表示本地是適合生活的城市，有獨特的吸引力。因此我們所該做的，是規劃以人為本，跨域整合、推動能讓臺中市民擁有和善生活環境的各項政策，而在這樣的政策背後，內蘊著豐厚的城市精神，進而促使我們策劃「臺中學」叢書，將臺中文化城的靈魂具體形塑，讓市民及外地大眾更為認識臺中、親近臺中。

地方學能完整描繪地區的獨特歷史發展脈絡，傳承及活化運用在地文化智慧，但往往以研究調查的方式撰述，缺乏地方生活記憶與認同，也讓大眾不易親近。因此，臺中市政府文化局對「臺中學」叢書的策劃，選擇臺中市具代表性的生活面指標為主題，發掘臺中地區最具本土性、獨特性的特色，運用柔性的筆觸與豐富的圖像，期望能讓本地市民更親近、關注自身的生活脈絡，也提供外地大眾了解在地文化的媒介。

首次出版即廣邀長期深耕並關注臺中歷史、文化的工作者主筆撰述，包括林良哲、楊宏祥、吳長錕、賴萱珮、廖振富、陳貴凰、吳政和、張玉欣，鉅細靡遺地梳理臺中市的地貌遷徙與人事流轉，勾勒出臺中人的溫和自信。主題則從最具代表的地景臺中公園、農業發展葫蘆墩圳、薈萃人文清水區、時代文人林獻堂及茶飲代表珍珠奶茶著眼，這些可以被稱為臺中印象的關鍵詞，全都從篇幅裡甦醒，閱讀過程中，可以感受到臺中市百年時空裡的風華面貌。

透過閱讀「臺中學」，可以知道不論昔日或今日，臺中人擁有一種溫和的驕傲，還有溫和的自信。我希望臺中「溫和自信」的形象能在全臺灣、全世界成為獨特魅力，更希望讓每位居住在此的市民，感受身為臺中人的榮耀，大聲喊出「我是臺中人」！

局長序

臺中形象的關鍵字

王志誠

一座城市要自成一學，需要的是生活與歲月的積累，除了這些積累仍不足夠，更要活躍出屬於這座城市的獨特性，使人一提及關鍵字，就能與該地的人文、風土、歷史、生態、地景聯結，進而勾勒出這座城市獨一無二的面貌與個性。

縣市合併後的大臺中地區，圍抱了山與海，根植了城市與自然，更將歷史與未來聯結在同一條路徑上，讓人們注視臺中的視野更遠、更廣、也更活。這使我們手中擁有能夠形塑臺中印象的關鍵字如同春日的繁花盛開，令人目不暇給。但我們希望人們對臺中的形貌不只是一個單詞的片面形容，而能更加深化、豐厚為一門有血肉與溫度的「學」。

因此我們策劃「臺中學」的書系，選擇具代表性的指標為專書主題，發掘臺中地區具有本土性、獨特性的特色，同時更希望書系的開闢能成為引發學者專家對「臺中學」深入調查研究的動力及發表的舞臺。今年首次登場的臺中學共有五大主題，分別是地景類的臺中公園，地域類的葫蘆墩圳、清水區，人物類的林獻堂，飲食文化類的珍珠奶茶。

日治時期即在日本人有系統的都市規劃中誕生的臺中公園，每一代臺中人的記憶總有它的身影，見證了臺中市區的地貌遷徙與人事流轉，長期研究臺中地方文史的林良哲將這些見證書寫為動人的《日月湖心：臺中公園的今昔》，生動地述說了臺中公園的前世今生；引入大甲溪的活水澆沃了大臺中地區的廣大農田，結出美味的稻米養育了一代又一代的臺中人，葫蘆墩圳對臺中的重要性不言可喻，深耕豐原當地文史工作的《葫蘆墩季刊》主編楊宏祥遂寫成《圳水漫漫：葫蘆墩圳探源》一書，鉅細靡遺地歸納葫蘆墩圳開發以來的數百年時空故事；清水坐擁海洋與柔風，不僅吹撫出一片美麗的溼地與小鎮景致，也薈萃出深厚的人文脈絡，以「清水散步」文化推廣基地聞名的吳長錕及賴萱珮深知清水的魅力，以《海線散步：清水人文地誌學》一書帶領眾人前往清水散步、享受小鎮的慢活方式。

霧峰林家是臺灣最重要的古蹟建築之一，而其主人林獻堂更在臺灣近代史上占有舉足輕重的地位，他個人的一生幾乎與日治時期的臺灣共同呼息，國立臺灣文學館館長廖振富所著的《追尋時代：領航者林獻堂》不只從日治臺灣的政經環境切入林獻堂的生命，更剖析他與親族、當代重要人物之間相處的點滴，將林獻堂的形象重塑得更為真實活絡；而現在人手一杯、甚至紅到美國前國務卿希拉蕊手上的珍珠奶茶，已經成為臺灣茶飲文化的經典代表，臺灣處處有珍珠奶茶，但臺中是將珍珠奶茶等茶飲文化發展得最徹底的地方，由陳貴凰、吳政和、張玉欣打造《團圓食光：世界珍奶與臺中茶飲》一書，將細數賦予珍珠奶茶生命的種種歷程。

建構一座城市的詞彙有很多，但要詮釋一個詞彙背後所代表的一切，一本書的篇幅並不足夠，臺中學的主題還有待開發與擴充，但只要起步了，就會與這座城市的發展一樣，永遠都會是旺盛的。

「行動導讀」提供讀者一份新的閱讀體驗，傳統書籍也可以如此方便的做到：既有深度、兼具廣度。其特色既保持書本平面閱讀時的舒適感與質感，同步又能夠提供多面性的具象影音，使書的內容更充實、更能散播美感與價值。

行動導讀　這樣做——

1. 手機下載「行動導讀」APP（ios、android適用）或瀏覽網站（http://www.dowdu.tw/）
2. 輸入「書碼」：QR code或504422。
3. 查看「易導碼」（例如「（25）」），即可體驗閱讀中所延伸的豐富多媒體與影音內容。

前言

尋訪小鎮故事的起點

清水，依山傍水。自從昔日臺中縣的重心轉移到山線後，清水小鎮靜謐了五十年之久，終於又在近日重拾風華，成為一個熱門的觀光小鎮。每逢假日，總有許多臺灣各地的旅客紛沓而至，目的不盡相同。有的是虔誠的信徒來紫雲巖拜觀世音菩薩，有的則是特地來吃道地的小吃——筒仔米糕[1]或是炸粿，更多是為了有著優美景致的高美溼地與鰲峰山運動公園而來。在清水微鹹的海風中，潛藏著豐厚的歷史文化層，等待著旅人的探詢，每一棟建築物、每一塊地景，蘊含的不僅是美麗與驚豔，還有那人與物交織的情感。

本書是一本清水地理人文誌，透過清水的景點，串連旅人散步的路線，邊走邊聆聽每一個點背後的故事。從站在清水的鰲峰山上開始，回溯清水的大歷史，再從大歷史中的在地人物故事，爬梳街區店家與廟宇、世家的點點滴滴，並精選圍繞著鰲峰山步行就能輕易到達的景點，如牛罵頭遺址、紫雲巖、清水鬼洞、石埠、埤仔口，以及清水街區的各條街道。希冀你能夠按圖索驥，站在當代的景點上，遙讀過去，讓今昔的對比，開創出更多想像的空間。

在這小鎮中，還流傳著許多故事，未能在這次撰寫出來，像是街頭巷尾超過一甲子歲月的各種老店、各種文化資產的保護運動、音樂造鎮的傳奇等，留待之後有機會再進一步著述，希望這一本清水的故事，能夠讓更多清水人以自己的家鄉為榮，甚至希望勾起你的好奇心，想要回老家去問自己的長輩過去的歷史，並從老照片、契約文件中，發掘更多精彩的故事。

清水海邊的風車與夕陽美景。

高美溼地。（洪尚鈴／攝）

第一章

我們的清水

一顆閃爍著低調光芒的珍珠

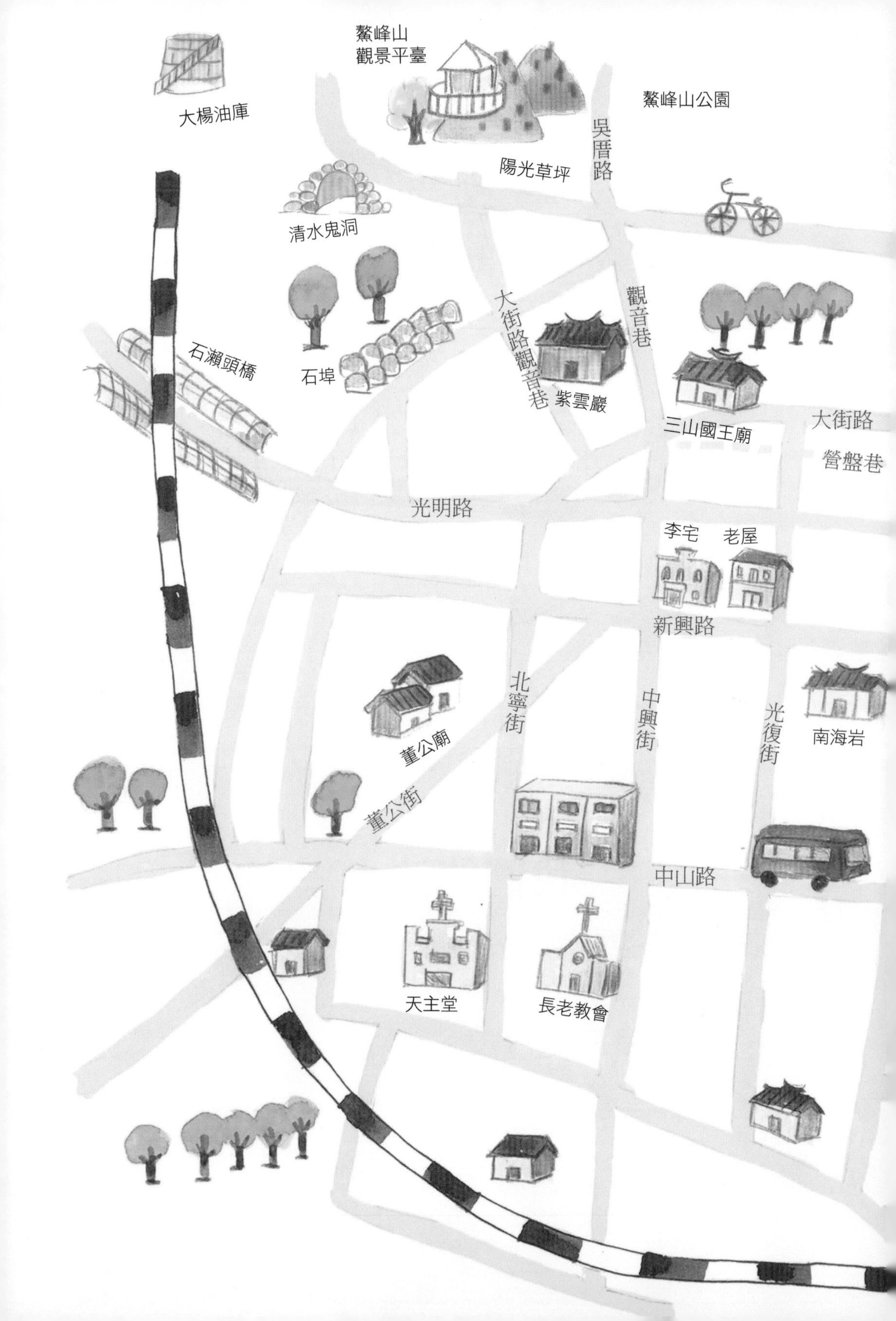
大楊油庫
鰲峰山
觀景平臺
鰲峰山公園
吳厝路
陽光草坪
清水鬼洞
石瀨頭橋
石埠
大街路觀音巷
紫雲巖
觀音巷
三山國王廟
大街路
營盤巷
光明路
李宅
老屋
新興路
北寧街
中興街
光復街
南海岩
董公廟
董公街
中山路
天主堂
長老教會

清水小鎮人文地圖

（蔡杏元／繪）

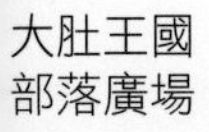

開著車緩緩地從大肚山 (2) 西邊的坡道往下滑，眼前看到的是一面水粼粼的大海，大肚山的綠意盎然，緊接著是歷史悠久的海線城鎮平原，而在這廣闊的平原上，清水，是海線一顆閃爍著低調光芒的珍珠。

清水 (3) 位於大肚臺地西側隆起海岸平原，北以大甲溪與大甲相隔，南邊大致以鹿寮北溪及銀聯中排為界，東邊有一部分位於大肚臺地上，西邊則緊鄰著臺灣海峽。從考古的證據上可以推測，至少4,500年前這塊土地上就有人在此居住，在鰲峰山的半山腰上，史前人們居住的房舍遺跡與鵝卵石棺出土，因為這些非自然的排列現象，還有繩紋紅陶、磨製石器等前人所遺留下來的使用器具，因此考古學家將出土這樣類型遺物的現象與人們的生活遺

白天的清水風景，從大肚山上向下望，便是一望無際的海岸線。

鰲峰山綠油油的陽光草坪。

留，以此地舊名牛罵頭命名，稱作牛罵頭文化 (4)。

清水舊稱牛罵頭（Gomach），又稱作「寓鰲頭」。這個名稱是來自於 400 年前居住在這塊平原上的居民——拍瀑拉族人的社名發音。根據荷蘭人於西元 1657 年的戶口調查，當時「牛罵社」的戶數有 58 戶，人口共 193 人。因為平埔族人自稱牛罵，來臺開墾的漢人們根據這個音，將其稱作「寓鰲頭」，若同時用臺語發音的話，會發現兩個音其實有點近，不排除是直接音譯的結果。而這個寓鰲頭的名稱，也沿用著稱呼離清水最近的這個山頭以及山下的湧泉與水圳，寓鰲頭泉、寓鰲頭圳，一直轉變到現在，就稱呼著鄰近的這座山峰為鰲峰山。

鰲峰山腳下，有著從大肚山斷層中冒出的豐沛泉水，水質甘甜，不僅是民生需要用水，在過去沒有自來水的年代，更是家家戶戶洗衣服與交換八卦的好場域。清代漢人來臺後，在此建立了「埤頭莊」，乾隆 45 年（1780 年），社口庄楊同興家族開發了「埤仔口圳」引水灌溉廣大的農田，另外清水蔡泉成號、蔡源順號等人也捐資興建五福圳，引進大甲溪水以灌溉清水平原。

大街路上的五福圳是自西勢附近引入，在埤仔口與文昌祠間與埤仔口圳交叉而過，其水流一向東，一向西，所以來自新竹的詩人鄭用一曾在此寫出「人物衣冠溯古風、此鄉不與眾鄉同、文昌祠外雙溝水，一向西流一向東」的佳句。這一句文昌祠外雙溝水，指的就是埤仔口圳與五福圳兩道圳溝，一個流向西邊、一個流向東邊。另外也是在隱喻這塊土地上，地靈人傑，孕育了許多傑出的人才，在清代的時候，出了許多傑出的舉人與秀才。

日治時期的清水，更是出了許多對臺灣政治、經濟、文化界影響力甚鉅的人物，包含曾任臺中區區長的蔡蓮舫、推動臺灣議會請願運動不遺餘力的蔡惠如、推動多項公共建設並贊助許多音樂家、藝術家的楊肇嘉等人。另外創辦慈濟的證嚴法師、紅遍半邊天的抗日義賊廖

添丁 (5) 等，都是出身清水的知名人物。

站在今天的埤仔口旁邊，總是可以想像人來人往，有人搭著輕便車，載著甘蔗、貨物，順著軌道往前邁力行駛，而輕便車站還有許多人在等待的樣貌，還有許多來自山上、海邊的人群，在此聚集，交易彼此需求的山珍海味，或說或笑，一派熱鬧的景象。

而在埤仔口圳的對面，就是通往神社的道路，288 座階梯往山上走去，左手邊是牛罵頭遺址文化園區，從 4,500 年前的遺址到日治時期的神社，再到國民政府時代的軍營，以及現在的牛罵頭遺址文化園區，豐富的歷史與故事，還有座落在半山腰的絕佳位置，都使得此地成為清水最有潛力的觀光景點。

繞過新成立的大肚王國部落廣場，以及清水鳥園，茂密的樹木林立，將大家帶

大肚山臺地與清水空照。

往新建設好的鰲峰玉帶與鰲峰山觀景平臺，正是眺望整個清水平原的最佳景點。而整座鰲峰山(6)，大概是這幾千年來最熱鬧的時候，每逢假日，就有許多家庭開著車，帶小孩子上山，將車停在自由車場後，開始前往清水鬼洞對面的競技遊戲場，使用德國進口來的大型遊樂器材，或盪或爬，挑戰自己的體力。附近還有特別設計過的室外樂器、表演場地，常有一些薩克斯風演出者會趁著假日人多的時候來到這裡小露身手。

而自行車場的位置，過去是由米粉寮溪與橋頭寮溪從山上往下流而沖刷出來的山谷，曾經堆疊著許多鵝卵石，但在前人與後人的建設下，溪水逐漸收乾，河道常被雜草掩蓋，只有颱風雨季時才會明顯看到小河流。在雨季之外的時間，整個山頭彷彿就是一個大型的遊樂園，人們來這裡運動、踏青、走走，享受綠意與陽光，不僅是清水人的後花園，也逐漸成為臺中市民與其他地方遊客們的觀光勝地。

沿著米粉寮溪旁由鵝卵石堆疊而成的石埠緩慢踏步下山，即可眺望到遠方的海岸溼地與風車，還有近處莊嚴的

古色古香的神社崎，吸引許多外地旅人前來參訪。

清水紫雲巖為當地歷史最悠久的古剎，也是居民的信仰中心。附近的空地過去曾為繁盛的菜市場，直到九二一中部大地震後才改為停車場。（陳舜仁／攝影）

紫雲巖[7]，海線人們因為靠海，在大部分的小鎮，都是以媽祖或是王爺信仰為盛，而清水最著名的則是紫雲巖，觀音信仰成為清水人的信仰中心，依著鰲峰山，屹立不搖，保佑著這座鰲峰山，也保佑著清水人。

上圖：1927 年剛興建完成的菜市場。下圖：今日的清水菜市場。

台塩生技
台灣生技聯盟
健康・美麗・好鄰居店
清水
健康美麗迎新春

而若走在清水街區上，一定會訝異為什麼街道如此的整齊，從這個街口到下個街口，是筆直且可以預期的，彷彿做過都市計畫，但周遭的建築卻似乎是昭和時代的建築風格與近現代的透天、新型的公寓夾雜在其中。而在這些街道巷弄間，就藏著許多老店與美食小吃，等著饕客上門。

早期的清水，是以農業為主、商業為輔，包含了草帽製造與出口、紡織業、鞋業等，都曾經是支撐清水人的重要家計，但當這些工廠逐漸外移到大陸與東南亞後，清水的人口有稍微沉寂一段時間，但最近又因為觀光人潮的興起，帶動了清水各處景點與老店的再興，甚至也吸引了許多青年返鄉創業、外地人進駐展店。

而這些可能性的背後，其實是來

清水街道。

自於清水得天獨厚的地理位置以及在地豐厚的文化內涵，還有前人在文化歷史資料普查、搜集、文化資產保存的努力下所奠基的基礎：包含高美溼地的保護、大楊油庫的保存、清水國小教師宿舍整修、清水鬼洞保存開放等引人注目的景點。讓清水這個地方，雖然因為蒙受中部大地震的災情所害，而未能保存太多清朝時期的古建築物，卻可以在散步中，邊走邊經過許多蘊含著精彩故事的地景，與其他觀光區的景點比較起來，沒那麼亮眼，卻閃爍著低調的光芒，令人忍不住想要一看再看、一訪再訪。

從飛機上看清水夜景。

第二章

交織的海線與田園景色

當代鰲峰觀清水

清水，倚山傍水，倚著的這座山脈，是大肚山脈，但在清水街區的這一段，因為剛好有米粉寮溪(8)及橋頭寮溪往下沖刷，更顯得頗具鍾靈山秀之色，因此，曾有人說會稱作鰲峰山，即是希望這裡的人能夠獨佔鰲頭之意。而站在鰲峰山觀景平臺(9)往下看，因為剛好位於米粉寮溪與橋頭寮溪之間的虎頭崎，看向清水平原的視野特別遼闊。每逢假日的夜晚，總是有遠地而來的遊客，站在山頭，迎著微風，享受海線平原的夜景，甚是浪漫。

若是在天氣晴朗的時刻登上平臺往西海岸望去，最遠的地方是藍色的海岸線，也是高美溼地(10)的所在地。古早時，高美舊稱篙密，是漁夫進出船隻的港口，當時這裡的海水深度較深，用來撐舢舨的竹篙會往下撐到一定高度，因此才稱為「密」。當時清水的商船們要來往臺灣與中國沿海貿易，也曾經以這裡為進出的港口。

高美溼地

在日治時期的時候，這個地方開闢成為高美海水浴場，專門為了讓大家有游泳娛樂的場所而設置，當時更是開闢了一條公車路線，從街上一直延伸到高美，讓大家可以搭乘公車來到海邊休憩。這條公車路線也一直延續至今，現在每天從火車站發車的 178、179 巨業公車所行走

高美溼地景致。（蔡杏元／繪）

的路線，即是舊時的道路。

高美海水浴場在臺中港開港後，因為在臺中港北側興建了防沙堤，導致許多流砂淤積在海水浴場，浴場也因此關閉。關閉了之後，高美的海邊就此沉寂了三十多年，反而使得此地成為野生動物的天堂。南邊的雲林莞草往北漂到此地落地生根，每到春天夏天長成綠油油的草海，固定了溼地的土壤，製造了豐富的有機質，讓底棲生物能夠在土中生存，候鳥們也因為這裡有著豐富的食物與棲息的農田與防風林，紛紛來到溼地過冬。愛鳥的人們曾做過統計，在這裡發現過 130 幾種不同的鳥類。

只是好景不長，1996 年的時候，海渡發電廠計畫在臺中港北防風林區興建火力發電廠，因此當地的各界民間保育團體及民眾，開始展開一系列的高美溼地保護活動，希望可以讓世人重視此地的生態多樣性與溼地的重要性，雖然在 1998 年的時候，海渡發電廠有條件通過環境影響評估，但是由於拖了三年，開發公司因為財務危機而停止了建廠計畫。當地人得知公司停止建廠計畫後，即刻著手趕緊提報給臺中縣政府劃定為野生動物保護區，在 2004 年正式在法律上取得一保障的地位。

自此開始，高美溼地 (11) 的美景，也開始被廣為宣傳。作為臺灣西部的海岸線上，尚未被嚴重污染的一塊淨土，舊時尚未興建木棧道前，這裡是口耳相傳的秘密基地，人們的踩踏使得莞草海 (12) 中間自動長出

左圖：舊時高美燈塔與還水浴場。

高美溼地。（洪尚鈴／攝）

了一條泥灘路，每逢假日，總可以看到各式各樣的人群，脫掉鞋子，赤腳親近海水與泥灘。夕陽西照時，那豔黃的光芒反射於海之上，雲朵、風兒也隨之嬉戲，在廣闊的海邊捲起了彩色又平靜的波浪，在這樣的時刻，總是會令人驚嘆：「只有島的西岸才看得到日落海洋耶。」也難怪那些居住在西邊大陸的人們，莫不紛沓而至，只想一瞧這難得的景色。

大秀地區

而若是站在觀景平臺往左方望去，是清水新興的文教區，也是添丁的故鄉——大秀地區。清水區公所、港區藝術中心 (13) 及眷村文化園區 (14)，還有廖添丁廟的漢民祠 (15) 以及靜思堂，都在這個區域裡。當年港區藝術中心在動土興建的時候，也曾經挖到史前的遺址——中社遺址 (16)，其範圍大概在今天的藝術館與眷村文化園區的周遭田中，考古學家分別於西元 1997 年、2004 年及 2008 年進行三次考古發掘，遺址現象包括墓葬、貝塚、灰坑、水井等，出土文化遺物則有陶器、石器，且有生態遺留物，包括獸骨、貝類及碳化種子等等，因此學者們推估大概在金屬器時代，也就是西元前 2000 至 400 年間這個地方就有人居住，當時的人們應該是以漁獵維生，但也開始會種植水稻，過著定居的生活。

左上圖：草海與高美燈塔。左下圖：現今的高美溼地景致。

當時在臺中港區藝術中心西側及南側眷村內的私人耕作地與荒廢地均可採集到許多標本，文化層深度約在地表下 30 至 50 公分，厚度約 100 至 150 公分不等。這些人是否跟平埔族人拍瀑拉族有關係呢？有一派學者覺得這是有一脈相承的關係，但也有另一派學者認為這之間尚無確切的證據，現在還不能妄下斷言。但不論是否跟後來的拍瀑拉族人有關係，我們至少可以知道，這個地方的生活環境適合人們居住。

橫山下的田園風光 (17)

站在鰲峰山觀景平臺往右方望去，視線沿著海線鐵道的鐵軌往前走，鐵軌沿著大肚山脈往北前進，這一片區域的山脈，被當地人稱作橫山，高度 300 公尺左右，綠油油的一片一直到大甲溪切穿而過為止，形成了一廣大的屏障，阻擋了冬天從東北而來的強韌季風。許多民居散落在這塊區域上，古地名有三塊厝、四塊厝、下湳、頂湳、客庄等，每一個庄頭大略可說是一個家族分布的聚落，像是三塊厝黃家、菁埔梁家、頂湳王家、下湳趙家等。隨著時間的改變，或多或少都有不同的人們搬進搬出，但至今卻還是大概能夠分辨得出那些聚落是哪一些姓氏的人們的分布，而這也是許多清水人分辨你來自哪裡的基礎。

在廣闊的橫山山脈上有許多野生的相思樹林，相思樹林在舊時沒

鰲峰山觀景平臺。

有瓦斯爐跟天然氣的年代，是在地居民重要的燃料來源。曾有瓊仔腳王厝的媳婦對我們說過，以前她們的婆婆，每天都必須走一大段路上鰲峰山半山腰去撿拾柴火，以供應煮飯所需。在那個還沒有瓦斯爐跟天然氣的年代，柴火的來源十分重要，而這些柴火也可以收集後挑著到市場上去交易。

現在山上還有林務局為了避免火燒山而開闢種植的林投樹，可以作為火燒山時耐燒的屏障，但林投樹也曾經是清水地區重要的出口產業——林投帽的原料來源，用林投葉做成的帽子並不亞於北邊苑裡、大甲出產的藺草帽，也曾成為清水當紅的出口產品。

但是山上最多的還是那會隨著季節而變色的大麥黍草，春天是剛發芽的嫩綠色，夏天略微轉深綠，秋天開始泛黃，到了冬天則是呈現黃綠色的樣貌，每個開車沿著臺一線經過此處的旅客，無不受到這大片山脈的吸引。

更難得的是，在這山腳下還留有大片的農田與聚落，包含了雍正年間因漢人開墾土地需要水源，而於當地平埔族土官的帶領與小租戶們捐資下開鑿的五福圳，歷經了兩百多年，灌溉清水、梧棲、沙鹿一帶的農田，直至今日依然

五福圳旁留有自然而然形成的農路。

五福圳車道，每到週末便吸引許多遊客前來此騎車散心。

川流不息。現在五福圳 (18) 流過的圳旁，其實有許多當地人們為了行走而自然而然形成的農路，因為路線彎曲有趣又風景優美，現在已成為頗負盛名的天然自行車道。騎著自行車在上面，享受的是廣闊的田野風光，有水圳潺潺流過的聲音、有風貌多變的橫山，還有海線鐵道奔馳而過，中間座落的村落廟宇就是最好的休憩場所，這樣的風景，是在都市難以想像的美麗與輕鬆。

許多往昔大戶人家的祖厝也默默地隱身在這個區域，其中最有名的是位於最近才改名的荷塘路上的趙宅天水堂與瓊仔腳王厝，以及已經列入歷史古蹟的國姓里黃宅。位於下湳里的瓊仔腳王厝 (19)，其王姓祖先當時胼手胝足開墾出大片的田園農地，範圍遼闊難以計數，現在還留有兩棟相連、兩進的三合院祖厝，用紅磚黑瓦建造而成，保存得相當完善，也還有許多後代住在這裡。

另外就是兩進六護龍造型的趙宅天水堂 (20)，每到夏天荷花盛開的季節，天水堂前面的半月池種滿的荷花盛開，常常吸引許多攝影迷來到此處攝影、賞荷。粉紅色的花瓣、綠色的葉子，池子背後就是藍紅白相間的天水堂建築，更遠景處則是綠油油的橫山與藍天白雲，令人來到這裡，總是流連不已。

國姓里即是三塊厝這個舊地名所在的地方，三塊厝是指吳厝、林厝與黃厝相連。而最具特色的就是黃宅，落成於 1931 年，第一進是西洋風格，有許多磨石子的雕塑與山牆，第二進則是閩南風格的紅磚瓦厝，屋頂還有許多剪黏與木雕，頗具巧思，而宅邸外邊則是日本式的庭園風格，整個黃宅又稱瀞園 (21)。

黃氏祖先黃汝舟，在清水開墾土地甚多，頗具威望，曾擔任過牛

五福圳與農田景色。

罵頭曲的區長，他的兒子後來經營碾米廠，而他自己因為喜愛臺北板橋林家的建築風格，所以才仿效其建築風格，並用牛車從大甲溪河床一車車運來基石，還從中國大陸與日本運來木雕與磁磚，耗資甚鉅。也因為建築頗具特色，曾做為華視《第一世家》拍片現場，也因此有了「中部第一世家」的別號，電影《悲情城市》也曾在此取景。近年來雖然已經被列為私人產權的歷史古蹟，卻因為一直未有足夠經費能夠妥善整修，所以一直無法開放成公共的景點供人參觀，只能成為文史建築愛好者尋覓的私房景點。

更遠處靠近清水與大甲的交界，則是被稱作客庄，為什麼會稱作客庄並不是因為這裡有客家人居住，這裡的客，是借住在此處的客人的意思。早年大甲溪的溪水十分湍急，又沒有橋可以過的時候，必須要靠人撐舟擺渡過去，但有時候可能錯過擺渡的時間，又或是若過大甲溪，可能會來不及進入大甲城，城門已關，那就只好先找個地方先借住一會兒，而這就是大甲溪畔這個村莊的由來。早期擺渡人可能常會因著個人的需求與來往旅客的富裕程度而自己訂定擺渡標準，有的時候若遇到窮人可能還不想擺渡，因此長期以來都是地方貨物與人員無法有效來往互動的原因。官方設立的義渡是要到道光 17 年（1837 年）才建設，由官方給發工食，訂定規矩，若有往來行人隨到隨渡，不准需索分文，訂定了之後，才讓南北的交通更為順暢。

每年五月荷花盛開時，趙宅天水堂即成為攝影迷熱門景點。

鰲峰山

從遠方的田園地區再拉回到鰲峰山(22)來，近年來鰲峰山變得十分出名，有牛罵頭遺址文化園區、陽光草坪、鰲峰玉帶、鰲峰山觀景平臺、清水鬼洞等知名景點，已經成為熱鬧的公園，每逢假日，車水馬龍、人來人往。但這樣的發展其實是有許多時期的演變。

早期鰲峰山公園是在地人的後花園，早起的老人家，常常會在 3、4 點就起床，往山上慢慢爬去，到山上做運動、打太極拳、練外丹功、氣功等，山上至今也有著不同的運動社團，在各自選定的地點開啟一天的時光，而到了 6、7 點太陽開始升起後，就下山準備吃早餐、工作或是做生意，好不愜意。

鰲峰山上原有的景點是清水鳥園、外丹功練習場、自由車場、小木屋親子公園、風箏公園、牛罵頭園區、烤肉區等。但在 2014 年鰲

鰲峰山下農路風景相當優美。

峰山公園大改造，原本的外丹功練習場設計轉變為競技遊戲場，在這塊地上裝設了許多從德國進口的特殊訓練器材，讓大人小孩都玩得不亦樂乎。

風箏公園則是成為換成陽光草坪跟鰲峰玉帶觀景橋，草地上防空洞則轉變成為公共廁所、頗具巧思；米粉寮大排旁的空地，也多了許多遊樂設施。而原本的小木屋親子公園，也在2016年拆掉重新規劃設計，命名為大肚王國部落廣場，在廣場上有介紹平埔族與大肚王國故事的展覽說明牌和一個類似瞭望臺的裝置，用以呼應這塊土地上曾經生活過的拍瀑拉族人們的生活。鰲峰山運動公園的烤肉區，則因為設備完善又有水源，現在成為全臺中市唯二可以烤肉的公園之一，烤肉區旁邊就是清水鬼洞。

到了晚上，鰲峰山觀景平臺上的人潮更是絡繹不絕，等著看海線的夜景，海線平原上最高的大樓也不過是大秀地區的果貿陽明新村，其他皆不超過十五層的公寓平房，因此，從夜晚的鰲峰山向海邊望去，遠方的舢舨燈火正閃爍，大概想要趁著夜晚捕撈些漁獲；平原上的家戶更是燈火通明，車流穿梭來來往往，閃耀著一片安居樂業的景象，是浪漫，也是幸福。

鰲峰玉帶觀景橋。

甫落成的大肚王國部落廣場。

第三章

追尋歷史的腳印

玉樹鰲峰留青史

臺灣西部海岸線不管在任何年代，大都是第一個面臨移民與改變的區域，而清水背山面海連結南北的地理位置，也決定了它在歷史上的重要地位。從地底下的史前史到有書寫成史的紀錄中，都可以瞄到這個地方的蹤跡。這些大時代歷史的痕跡，或多或少，也都影響著後來清水的發展。

雖然自 1683 年，在臺灣的鄭克塽投降清朝，臺灣在名義上被納入清帝國的版圖，但其實當時各地的平埔族人群還是各自過著自己的生活。清水則是牛罵社的人群居住的地方，牛罵社是平埔族拍瀑拉族 (23) 的社名之一，當時臺灣西部沿海皆是平埔族的分布，拍瀑拉族則大概分布於大甲溪以南、大肚溪以北的場域，並曾經有過跨部落的聯盟，也就是後來俗稱的大肚王國 (24)。

大肚王國的緣起已不可考，但在荷蘭人的文獻中即記載著北起桃園南部、南至鹿港的跨部落聯盟的出現，這群人的語言、風俗習慣相似，並稱呼自己叫做 Papora，今譯成拍瀑拉，或稱巴布拉。分布的範圍約略為今天大甲溪以南到大肚溪，以及大肚山以西的這一海線平原地帶。在荷蘭人統治的時候，拍瀑拉族人們曾經與荷蘭人達成半獨立的協議，因此這些村社的名字才開始出現在荷蘭文的紀錄之中。

1661 年鄭成功取得臺灣後，平埔族們曾經激烈地與鄭軍抗爭，因而又成為半獨立的狀態，1670 年，鄭成功的手下劉國軒因為駐扎在半

清代《職貢圖》中的大肚社番（拍瀑拉族）模樣。

線（今日彰化），試圖要招撫拍瀑拉族，但是拍瀑拉族不肯歸順，聯合起來抗爭，卻遭鄭氏將官劉國軒討平，社勢衰落。根據黃叔璥〈番俗六考〉的記載，沙轆社遭到屠殺，「只餘六人潛匿海口」，到清代時才又恢復至百餘人的規模。

施琅打敗鄭氏軍隊後，北京的官員曾希望等鄭氏反叛勢力被消滅

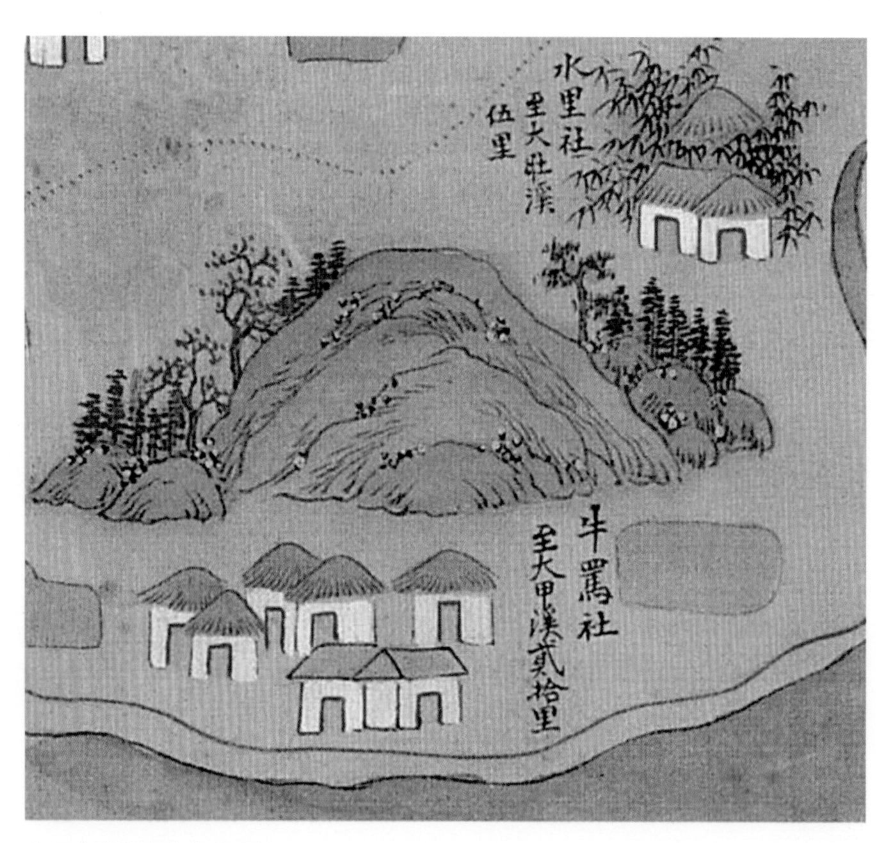

康熙臺灣輿圖中的牛罵社。

後，就要放棄臺灣這塊彈丸之地，但因為施琅認為臺灣是他征戰多年的成就，加上他認為臺灣在帝國的戰略和經濟地位上相當重要，因此臺灣在 1684 年 4 月被納入福建省的一府。此時清朝對於漢人的態度是限制聚落在臺灣擴散，也不鼓勵漢人農民來臺開墾，而對平埔族人們的態度，則是承認鄭氏時期的統治方式，並全面減少平埔族的稅額，他們採取著「撫番」的態度，只要不是曾經是鄭氏手下的平埔族人，都以禮相待，並給予補償，大概是因為這樣，對這些平埔族人們來說，只不過是換了一個外來的統治者，他們還是向上繳納一定的稅額及服勞役，只要統治者的策略不會太過苛刻，他們也不用太過反應。郁永河就是在這個時期來到臺灣採硫磺。

郁永河與裨海紀遊 (25)

郁永河當時是福建福州的師爺，因為當年福州官府庫存的火藥庫失火，他們必須要想辦法解決火藥的原料來源，而在福州聽說了臺灣北部有產硫磺，因此他在清康熙 36 年（1697 年）的時候，從福建搭船來到臺灣開採硫磺，從府城臺南上岸出發，沿著陸路往北走，經過許多平埔族的社，在其採硫的日記中記錄了三百年前臺灣西部平原地形的樣貌與生態。

從《裨海紀遊》這本書中可以得知，他花了一個月的時間從臺南走到北投，但是卻在經過中部牛罵社時就停留了十天，牛罵社的所在位置，即是今天的清水。從文獻上可知，此地曾是平埔族拍瀑拉族的居住地，而牛罵社更是其中幾個大社之一。

十三日，渡大溪，過沙轆社，至牛罵社，社屋隘甚，值雨過，殊濕。假番室牖外設榻，緣梯而登，雖無門闌，喜其高潔。

十四日。陰霾，大雨，不得行；午後雨止，聞海吼聲，如錢塘怒潮，至夜不息。社人云：「海吼是雨徵也。」十五、六日皆雨，前溪新水方怒，不敢進。

從郁永河的紀錄可以推知牛罵社的屋子應該是屬於稍微高起的建築形式，在屋子的外邊還有一圈走廊，而郁永河就借著房屋的窗外下榻。但因為連日大雨，大甲溪水暴漲，他過不了河，只好在此等待。

到了第十七天，天終於放晴了一點，而他住的位置，剛好面對鰲峰山，他認為就是因為有此山作為藩籬，此地的平埔族社人才不會被後山的「野番」所襲擊，這裡的野番應該就是尚未熟化的原住民。他聽牛罵社的人說，野番常常在林中射鹿，若看到人，就會立刻射箭而出，要小心前往。於是郁永河就柱著拐杖披荊斬棘開始登山，「林木如蝟毛，連枝累葉，陰翳晝鳴，仰視太虛，如井底窺天，時見一規而已。」在他的敘述中，鰲峰山的林木像刺蝟的毛一樣，幾乎沒有可以駐足的地方，而且樹蔭實在是太隱密，導致他走在其中，幾乎不見天日。山好像近在眼前，卻因為被濃密的樹林擋住而不得見，只看到野生的猿猴跳上跳下，對人尖叫，在森林中，風吹過葉子，發出沙沙的聲響，隱隱中似乎聽得到溪流潺潺的聲響，但卻找不到蹤跡。就在他反覆尋覓的過程中，突然有蛇竄出在他的腳踝邊，他心中感到恐懼，因而結束這次的行程，回到住的地方。

這樣珍貴的文獻記載著當時鰲峰山的情景，可以知道鰲峰山幾乎與深山叢林無異，對於一個從福建來的師爺而言，實在是化外之地。

清朝剛統治臺灣時候的策略是較為消極的禁令，開放漢人開墾，但是禁止攜家帶眷來臺，等於是把這裡視為化外之地；直到漢人逐漸來臺開墾，承租平埔族的土地之後，才慢慢地設置軍隊與統治、收稅的機關，除此之外就採取半放任的態度。所以清朝初年，只有在半線（今彰化）設汛、大肚設塘等軍事基地，並派駐官兵數員。

康熙 38 年（1699 年），通霄社發生了當時社的領導人不滿漢人通事征派無度，乃率社民殺了通事及其同夥十數人，清朝因此派了近兩千人的兵力及四社番前往征討，又徵調當時尚未歸順清朝的岸裡社協助平定，自此開始，清朝的軍隊開始進出此地區，而岸裡社，也成為清朝最得心應手的「熟番」。1711 年後，大肚溪以北開始有官兵駐守，從大肚、沙鹿、清水、大安、大甲到苑裡這些臨海的城鎮，也開始有越來越多的漢人坐著船來到港口進入開墾。

從軍力上的變化可看到清朝對這個地方的統治程度，1712 年以前，牛罵塘由諸羅縣管轄，派駐的官兵只有 10 名。但因為康熙 59 年（1721 年），高雄鳳山發生朱一貴事件，朱一貴與其同伴因為不滿官吏的橫徵暴斂而起義，當時中部也有賴池等人呼應，攻破諸羅城，但在短短一個禮拜中就被清朝的軍隊平定。朱一貴事件後，因為南部六堆的粵籍移民曾幫助清朝防禦，粵籍的移民限制開始放寬。此時清朝大概也是看到諸羅縣管轄範圍太大，而於雍正元年（1723 年）增設彰化縣，範圍是虎尾溪以北、大甲溪以南。

此事件後，清朝增加了一個巡臺御吏，負責替朝廷在臺查訪民情、考量吏治，而黃叔璥就是第一任漢籍巡臺御史 。在黃叔璥撰寫的《臺海使槎錄》 中，即記錄著當時考察的臺灣的民俗風情，尤其又以針對平埔族所調查研究的〈番俗六考〉[26] 最為珍貴，除此之外，還有收集到的番歌，其中一首如下：

〈牛罵、沙轆思歸歌〉

嚅嗎嘎乞武力（往山中捕鹿）

蘇多喃任嗱須岐散文！（忽想起兒子並我妻）

買捷嚅離　嗎嘎乞武力（速還家再來捕鹿）

葛買蘇散文喃任歧引吱！（免得妻子在家盼望）

在他的調查中，他將「大肚、牛罵、沙轆、貓霧、岸裡、阿里史、樸仔離、掃 、烏牛難」等社歸為同一文化、生活圈，視為「北路諸羅番」之一族 ，這個範圍應該就是我們現在所稱的拍瀑拉族的分布範圍。

大甲西社事件

大甲西社事件可說是影響臺灣西部平埔族 (27) 分布很重要的戰役。大甲西社的緣起是因為雍正 9 年（1731 年）時，當時的淡水同知張弘章為了要在沙轆蓋淡防廳衙門，過度勞役平埔族的人們，又縱容他的屬下侵佔平埔族人，大甲西社的平埔族們群起抗議，但是當時的臺灣道長官為了縱容他的屬下，竟然殺害牛罵沙轆社及大肚社協助官兵運送糧食的平埔族五名，冒充他們是大甲西社抗官的平埔族人，因此引起眾平埔族不滿，憤而群集彰化縣城要官府秉公處理；但是彰化縣令敷衍了事，雖然收押了殺人的漢人，卻沒有審理又將他釋放。

平埔族番社的人們聽到了之後，十分憤怒，集結了牛罵沙轆社、阿里史社（今潭子鄉）、樸仔籬社（今豐原朴仔口、石岡、新社、東勢）等兩千多人，圍攻彰化縣城、焚燒數十里民房，動亂之大，甚至讓當時的閩浙總督郝玉麟，徵調臺灣總兵跟福建的陸路提督討伐，也利用以夷治夷的辦法，調動岸裡社的平埔族人協力平定，因而最後西半部海岸的拍瀑拉族與道卡斯族的社番們元氣大傷，損失慘重。

清朝政府在平定戰亂後，即將大甲西社改名為「德化社」、牛罵社改名為「感恩社」、沙轆社則是改為「遷善社」，苗栗苑裡的貓盂社則改為「興隆社」，為的是紀念各社投誠清政府的心，用意也是希望他們可以改過向善。

自此之後，這些平埔族勢力大為衰落，原本這三社於大肚山上東邊擁有的獵場，因為岸裡社的社民協助清政府有功，被劃歸了清政府；清政府還將此大甲西社、牛罵社、沙轆社大約三千多甲莊園，全部劃歸為漢人的土地。

而清朝的駐軍也開始增加，在寓鰲頭（即今日的清水街區）新增把總一員，負責管理駐守兵 25 名。現在清水街上有一條寬約一尺多的「營盤巷」，從埤仔口連結一路通往紫雲巖，其實就是清朝駐軍曾經留下來的證據之一，營盤指的是軍隊駐紮在此巡邏的道路，現在巷弄兩旁也還有一些舊式的平房遺留，聽說更早之前這條路上留有石板路，只是現在已不復在。

漢人大量移居清水開墾

自清雍正11年（1733年）開始，漢人開始大批湧入清水地區墾殖，開墾秀水、三塊厝、客庄、橋頭、田寮、後莊、社口、頂湳、下湳、菁埔、埤仔口、山腳、水碓等十三莊。此時人們透過中部沿海各港口來往兩岸與臺灣各地，大多人是整個家族、同村的相互吆喝一起，乘著船、渡過黑水溝，在鹿港或是大安港上岸後，再逐漸移居他處。

因此，港口的興衰總是影響著當地人們的生計，從清治初期的水裡、崩山二港，至乾隆年間的五叉港（今日之梧棲港）、塗葛堀港、大安港，再至道光咸豐年間增闢土地公港、白瓦厝港、龜殼港、高密口（高密港）等，其中土地公港、白瓦厝港與龜殼港，都是大安溪的下游支流各自形成的港口，在泥沙淤積之後就會再度開闢新的港口，但是從這麼多的港口來看，大概可從中窺見當時貿易之盛況，尤其當時的高密港，可以停泊三、四十艘米船，已經有相當之規模（彭瑞金2013年）。

乾隆元年（1736年），客籍墾戶吳瓊華，向張振萬墾號獲得墾批，率族人入墾平埔族巴宰海族（Pazeh）領域之埔地，開闢大肚山上的吳厝庄、公館庄等。張振萬墾號即是岸裡大社通事張達京(28)所設立。但後來客籍移民就往豐原、東勢一帶移動，現在在這兩個庄頭較看不到客家人的蹤跡。緊接著，土地開墾的範圍逐漸擴大，乾隆4年（1739年），

楊姓漢人入墾十二甲庄（今之高南里），蕭、趙、王三姓則至大甲溪岸開拓海口、牛埔、舊庄等地。乾隆 10 年（1745 年），上述四姓墾戶，北上抵達大甲溪南岸，墾成一帶之荒埔，創建高密莊、三塊厝莊、四塊厝莊等聚落。

但是當漢人越來越多後，不僅有跟平埔族的糾紛，也開始有漢人內部不同族群的糾紛，其中又以漳泉械鬥最為人知，但這個時候其實也是清朝滿人剛開始統治中國的時刻，許多漢人其實對於滿族的態度依然是視之為仇敵，而私底下結黨聚會，更甚者，還有造反之意。讓我們試著設想那時候的臺灣，中國沿海各地的人們，有的人想要尋求更好的土地與生活來臺開墾，有的人則是想要逃到一個天高皇帝遠，不會有人斤斤計較稅收的地方，因為著各種原因，他們來到了臺灣。可是當清

營盤巷內尚有許多舊式竹編夾泥牆的平房。

朝政府的手又開始伸向這群來臺的移民，透過層層的官僚體制想要控制這些人們的時候，抗爭就爆發了。

林爽文事件的影響

乾隆 51 年（1786 年）發生的林爽文事件(29)，可說是奠基在漳州人與泉州人不合、滿族人與漢族人不合的關係上發生，而清朝政府也巧妙地利用了不同族群之間的利益關係與矛盾，將林爽文繩之以法。林爽文是來自大里杙的漳州籍人，因為急公好義、打抱不平，參與了天地會的組織，但當時清朝政府因為深怕這樣的團體會反抗政權，強制掃蕩，而林爽文因為叔伯被抓，憤而起義抗清，一時之間勢如破竹，往南攻下彰化、諸羅、鳳山，往北攻進新竹苗栗，途中閩浙總督聞之色變，派了福建清軍四千多人來，後又派浙江、廣東等清軍一萬多人來臺，卻還是僵持不下，直到清朝政府派當時的陝甘總督大學士福康安，率領了綠營八千人，另外又在地徵招團練六千人，共一萬四千多人，跟林爽文三萬多兵力對峙，在八卦山戰役後，福康安收復彰化跟諸羅，林爽文敗走集集、水沙連後，在今天苗栗崎頂處被活捉，運至北京凌遲斬首後，其後續的部隊才跟著瓦解。

今天位於米粉寮大排附近的王府千歲廟，就是供奉著當時跟隨林爽文起義的王勳大哥（或又稱王芬）。王勳祖籍泉州，幼時曾認鹿港媽祖當契母。年少好武術，喜歡為地方打抱不平，頗受民間敬重，林爽文起義時，他跟隨著林爽文起義呼應，但主要是在海線發展，被林爽文封為「平海大將軍」，擔任反清的主力先鋒。後來清朝派福康安來臺做為平臺大將軍，派兵來臺平亂。在林爽文被捕之前，王勳被當地仕紳組成民團逼至虎頭山麓，兵敗自刎而亡，卒時年僅38歲。因此在這個他過世的地方，供奉著他的英靈直到現在。

自此事件之後，清朝政府對於臺灣的治理態度轉為積極，開始組織平埔族番社們作為政府的軍隊人力來源，設立社屯，清水的牛罵社也被編入屬於阿里史屯，與大甲溪以南的大肚南、北社、水裡社、遷善社（及沙轆社）等，共同有屯丁三百人，用以養兵，以避免再度有亂事發生。自此之後，清朝政府的統治漸趨穩定，漢人來臺的數量也越來越多，開始逐漸影響到平埔族人們的生活習俗與環境。

漢人與平埔族此消彼長 (30)

現今紫雲巖廟後，有一塊立於乾隆43年（1778年）的杜絕感恩社民番業佃混擾示禁碑，從碑文中可以看到原有牛罵社社民們的土地，因為租給業戶，業戶再租給佃戶，但業戶跟原來的牛罵社土目串通，徵派稅目苛刻，導致佃民們群起向上抗議，才有了這樣的清查勒令碑文下達，要求土目不可趁水患重新測量田畝而橫徵暴利，也同時要求佃戶們要乖乖繳納番租。碑文如下：

特調臺灣北路理番分府加五級、紀錄五次、記大功二次沈，為業蒙清丈等事。據感恩社佃民林元璸、盧永清、曾式鴻、洪紹澤、林勳臣、楊賢、陳鑽、張乃成等呈稱：「切事經公必有一定之章程，法必垂永久，方杜絕後之混擾。痛璸等共處壹拾參庄，原屬感恩社番佃。自雍正十一年開墾以來，須耕斯土，與他處曠土堪耕者不同、與平洋安耕者實異。東迫峻山，難免沖崩之虞；西界大海，實受風颶之慘；南接沙轆番田以及朱、楊世業，北抵大甲溪。鴻溪波濤，淹沒五穀。僅彈丸叢蔽之區，並無荒埔可墾，曷有隱匿情弊。璸等各佃穿山鑿圳，枵腹晞飢來作番佃，遵照臺例，按甲八石輸納番租，前業戶蒲氏悅父子遞受數十年，業佃相安。迨四十一年冬，業戶、通土等因北勢田畝水沖沙壓，急請清丈等事。即經蒙前憲朱，清釐給冊，配租在案，但未蒙審訊。致虎通六擬佃權歸掌握，串謀土目蒲氏吧礼等朋黨為奸，飲鴉宿娼，酗酒逞兇，藉事黨為爪牙，逐佃橫派，縱刁番為羽翼，任意苛求。從即暫處相安，逆則立見稟害，膽敢蔽埋前案，以誣匿請丈等事誑稟天聽，冀圖藉索。欣際憲轅

右圖：杜絕感恩社民番業佃混擾示禁碑。

乾隆肆拾叁年柒月
日給

除弊如神，蒙嚴押通土、佃民按坵細丈，毫釐載入冊簿，與前案逐一相符。耐通土不遂其欲，奸惡相濟，誓必疊稟陷害，番愈為狼為虎，佃愈為魚為肉。若不急叩審訊，發給番民印冊，將來葛藤難斷，輿情鼎沸，合亟相率奔號仁憲，恩准嚴拘審究，佃民得以奉獻勒石，杜絕奸番之害，永沐鐵案之惠，八方沾恩，全臺載德，甘棠興頌。上叩，等情到分府。據此，案照先據該社通土、業戶六擬佃等具稟：王孫合等各佃甲田朦混不明，懇請清丈等情，業經按佃逐段查丈，并取通土、業戶查無遺漏隱匿甘結前來。並據前情，除拘訊發冊外，合行給示勒石。為此，示仰感恩社業佃人等知悉：爾等管耕田園，業經本分府丈定甲數，成立檔案，給爾業佃墾簿各一本，務須遵照，永遠相安。田每甲八石，園四石，交收番租。該通土、業戶，嗣後無再生枝節，混稟庄佃隱匿，擾害農民。該佃林元璸等務于早季收成之後，即照冊完納番租，取具業戶戳記，完單執照。亦不得拖欠減少，致缺番糧。均毋自罹法網，永息訟端。各宜凜遵，毋得抗違。特示。

乾隆肆拾參年柒月　日給。感恩社民番業佃秀水庄、橋頭庄、社口庄、上湳庄、三樹庄、田蒙庄、山下庄、清埔庄、客庄、后庄、水碓庄、下湳庄、碑頭庄勒石 遵諭。

而從碑文上可以看到，此時的清水已經有 13 個有勢力的漢人庄頭

番埔取締碑

原碑無題，臺灣史料調查室登錄為「番埔取締碑」。原碑另見錄於《明清臺灣碑碣選集》，頁 76-77，題名「杜絕感恩社民番業佃混擾示禁碑」。又另見錄於《臺灣中部碑文集成》頁 75-77，題名「感恩社民番業佃諭示碑」。又另見錄於《臺灣地區現存碑碣圖誌：臺中縣市 · 花蓮縣篇》頁 87-88，題名「嚴禁感恩社業佃混丈勒索碑記」。

出現，但土地還是大部分都是平埔族人的所有權，漢人只是來到臺灣耕種土地，其一年的收穫必須要繳納「每甲八石，園四石」的租金給平埔族人。那這些土地的所有權到什麼時候才被移轉呢？我們可以從清朝時的幾張土地契約上來看。

● 乾隆元年（1734 年）

立退埔契人周珍全，有賤業主蒲氏悅生埔一處，坐落土名是木，明丈二甲；另西勢熟田一甲，共三甲。今因不能自耕，一問房親不受，自情願出退，托中引就與林宅出頭承買，當日三面言埔價銀一共一十三兩七分正。其銀即同中交訖；其埔即日同中踏過四至明白，付與林宅前去水遠耕管，內外人等不敢妄行阻擋。並無上手來歷不明；如有不明，系全自擋，不甘承受人之事。恐口無憑，立退埔契一紙，付執為照。

乾隆元年二月日。

為中人江爵官

立退契埔人周珍全

●乾隆9年（1745年）

立給墾批感恩社業戶蒲氏悅，有埔地一所，坐落橋頭莊。茲招到佃人林元瓆自出工本，前來開闢，即日收過犁頭埔底銀三十九兩正，經丈明三甲一分正，遞年每甲大租八石，俱早季颺淨，佃人車運社內交納，不得拖欠。倘日後要退賣別創，先聲明業主，查其誠實之人承頂其田，不得私相授受，亦不得莊中窩匪窩賭等情。口恐無憑，立給墾批一紙，付執存照。

即日收過埔底銀三十九兩完足，再照。

乾隆九年十月日。

立給墾批感恩社

●乾隆44年（1779年）

立給批字感恩社業戶蒲天開，有應管得荒埔一處，坐落土名菁埔莊後，東至李家園界，西至車路界，南至溝界，北至牛路界；四至界址明白。今因荒廢，無力墾耕，托中引就與鄭應元、鄭應魁兄弟出首承給，當日三面言約給批銀一十二大員正。銀即日同中收訖；其荒埔時交付鄭應元、鄭應魁兄弟前去開築風水，安葬祖墳，抑或墾成田園，聽從其便，不敢阻擋。保此荒埔係開應管物業，與別親人等無干，亦無重給他人不明為礙；如有不明情弊，開出首一力抵擋。不干鄭家之事。此係仁義交關，二比甘愿，各無反悔，今欲有憑，立給批字一字，付執為照。

批明：即日同中收過字內銀齊足，再照。

乾隆四十四年正月日。

為中人吳瑞桐

代筆人李生

立給批字□□□

這幾張契約，第一張將田地出租給漢人的原因是因為「今因不能自耕，一問房親不受，自情願出退」，也就是因為自己沒辦法耕種，但是親戚也沒辦法協力耕種，所以自己情願出租給漢人。第二張沒有寫原因。第三張的原因則是「今因荒廢，無力墾耕」。

清朝政府統治平埔族是透過稅金與勞役控制平埔族人，每一平埔族番社的男丁，每年必須繳納銀二錢，還要替官府搬運、跑腿等苦力。

但是清朝政府承認平埔族人們擁有土地的權力，因此規定漢人們若承租平埔族的土地耕種，必須要繳納租金給平埔族人，此時平埔族人就是大租戶，負責繳納租金給政府，而承租平埔族土地耕種的是小租戶，但通常這些小租戶又會再把他們土地租給真正在耕種的農戶耕種，這些農戶就是佃農，要向小租戶繳納大租，大租戶再收集所有的大租繳稅，而平埔族繳納的稅金就叫做番大租。

這樣的土地稅制，常常會遇到因為小租戶不願好好繳納租金的問題，就常會產生糾紛，但是對清政府來說，因為只要負責跟大租戶收稅，遠比跟小租戶收稅來得輕鬆，而站在平埔族的角度來看，因為土地擁有眾多，讓漢人來開墾，其實也比他們自行開墾要來得輕鬆，所以這樣的大小租制度一直維持到19世紀末，直到劉銘傳來臺後，因為清查田賦，後來制定了「減四留六」之制，也就是規定由小租戶負擔地租，並認定小租戶為業主；大租戶則免除地租負擔，並令其向小租戶減收租穀四成以作替代，才逐漸讓大租戶減少了其控制土地的可能。

清朝政府對於金錢的使用開始逐漸影響平埔族人之後，當平埔族人們遇到繳納不出稅金的情況時，就會先從土地拋售換現金開始。從前面的土地契約上來看，清水地區諸多原本平埔族人的田地，有些因為缺乏現金而拋售給佃農，有些是因為自己無力開墾而拋售。在生活方式逐漸改變後，那些不適應漢人生活方式的平埔族人們，也因為有了漢番的分界，而開始集體遷徙。有的遷徙到埔里，有的遷徙到宜蘭後又返回，尤其又以道光 3 年（1823 年），因為埔里發生了漢人郭百年入侵埔里蛤美蘭社而屠殺族人的悲慘事件，蛤美蘭社人邀請拍瀑拉族人們移居埔里，共同團結以抵抗外敵。原本居住在海線的平埔族人們，於是開始好幾波大遷徙，在埔里建立新的聚落，到了清朝末年，清水幾乎已經看不到平埔族牛罵社的蹤影，只剩下山上有幾戶人家，沙轆還有兩三戶人家，日本政府於 1905 年第一次的人口普查結果，臺中廳範圍內被列為熟番的平埔族人口，男生 143 人、女生 139 人，就人口比例來講已十分稀少。

但因為在 1874 年牡丹社事件之後，清朝對於臺灣的統治漸漸轉為積極，開山撫番等政策使得平埔族人們舊時的生活方式被迫改變。與此同時，還有許多平埔族人們自行與漢人通婚，逐漸模仿漢人行為的可能之下，西部平原已漸少有平埔族的足跡，反倒是漢人們逐漸移入，大量開墾良田、築水圳，起家立業，在這鰲峰山下的平原上，開拓出了熱鬧的集市。

第四章

細數老街百年記憶

清水街區二三事

清水老街區(31)的範圍大致為鐵路以東，大肚山以西，米粉寮大排以南、中清路以北這一大範圍的區域，都被稱作清水老街區的範圍。若從古地圖來看，這個範圍自 1904 年的臺灣堡圖測繪至今，其實並無太

清水街區。（蔡杏元／繪）

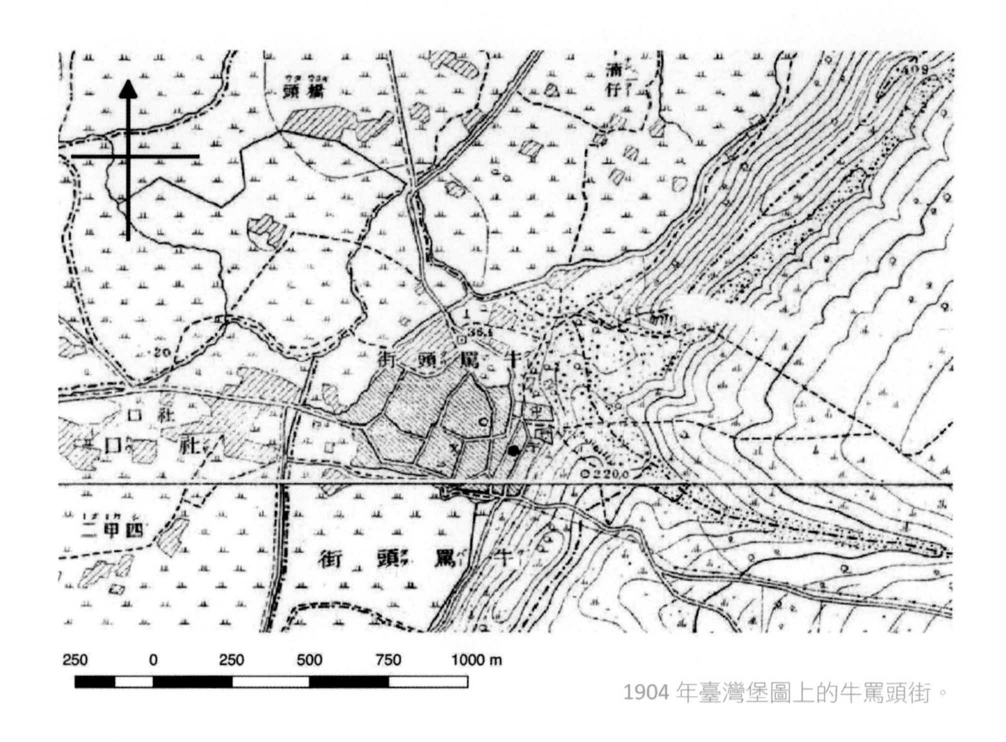

1904 年臺灣堡圖上的牛罵頭街。

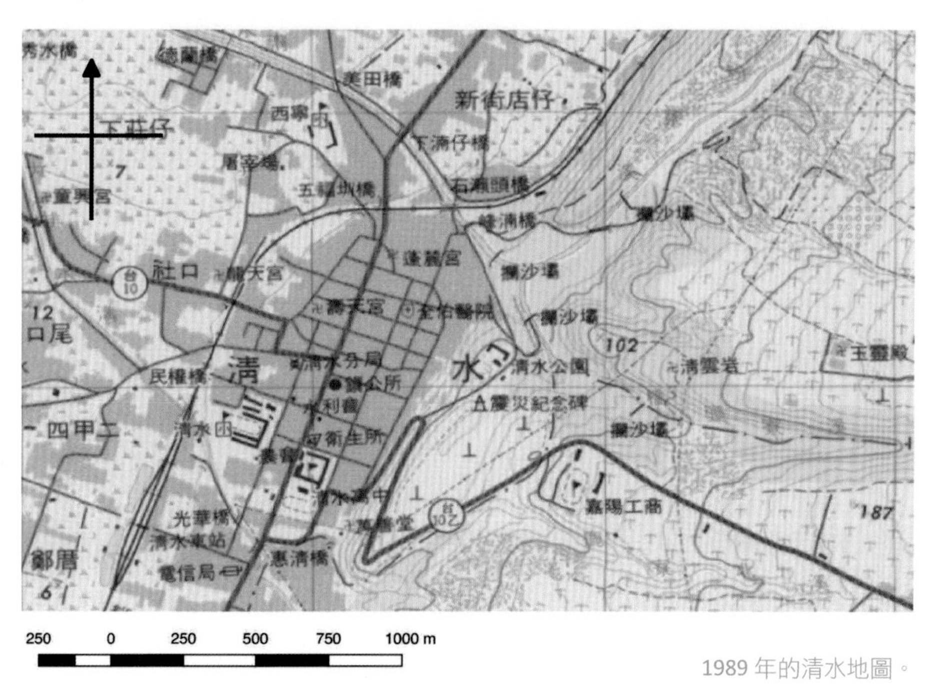

1989 年的清水地圖。

大的差別。1922 年通車的海線鐵路在從清水繞了一個大彎，留下了完整的街區，不同於沙鹿、大甲的車站設置，通常都選擇在最熱鬧的街區，清水的火車站卻在遠離街區約 15 分鐘的路程之處，這一段火車站選址的過程，正是影響整個清水街區規劃的重要影響。但是若要談起清水街區的故事，必須要從鰲峰山下的大街路開始講起。

大街路

大街路，顧名思義即是舊時最熱鬧的一條「大街」。這裡是山上與平原的交會處，從山下到山上，有許多小路可以行走上山，許多住在大肚山上的人家，因為山上土壤較為貧脊，又多是紅土，所以只能種植地瓜、蘿蔔、花生等旱作，而為了要交換稻米、漁獲等，常常天一亮，就將自己種的農作物，用扁擔挑著，從山上踏著古道走到大街路旁的舊菜市場交易，日治時期時的舊菜市場位置，就位於現在埤仔口圳旁邊停車場空地。

但因為清水舊消費市場的建築狹小，又加以攤販眾多，當時的街長周頤楚先生即召開地方的討論會議，討論是否要將市場遷到他處。但地方上有不同的聲音，有的說要遷遠一點可以尋覓較大的地，有的則說若市場不在街區的中心的話就不叫市場了。

日治時期的清水街鳥瞰圖，街景整齊有序。（蔡正文／提供）

所以在 1927 年的時候，清水菜市場遷建到現在清水農會的穀倉附近，建築物是昭和式的建築，美輪美奐。但因為離市區稍微遠一點，此時蔡泉成號中的蔡栢初表示說，願意將位於郡役所附近 800 坪土地無償提供市場使用，在他的想法中，這樣的舉動不但可享熱心公益美名，又可因市場而為自身帶來商機，增強家族的財力與影響力。消息一出，立即引起清水商工會恐慌，召開會議因應，可見當時在清水發展商業的競爭十分激烈。剛好在 1935 年的時候因為遇到中部大地震，1927 年建的菜市場也受到了毀損，不堪使用，就順理成章地遷到了現在位於鎮北街與新興街交叉口的位置。

但這時興建的菜市場在經歷了近四十年後，又已漸顯舊貌，剛好臺中港特定計畫區的計劃頒布，所以在 1978 年時，在原地興建新的市場大樓，地下室與一樓賣生鮮食品，二樓以上賣衣服，人潮與攤販集中在新興路與鎮北街、清水街的交叉口上，每天早上的市場周邊總是人滿為患，摩肩擦踵。而原本大街路上的菜市場就這樣空了下來，現在是由紫雲巖負責管理，只有假日開放讓香客停放車子。

清末的時候，大街路是交易最盛行的街市，大街路的兩旁還有許多因為貿易應運而生的行業，包含了賣藝不賣身的酒家、茶店仔與妓院等。從文獻中可以得知的有三家：杏花天酒家、朝鮮樓及一文字酒家。杏花天酒家裡面有酒女，也有來自臺北的藝旦，擅長唱歌及彈奏樂器，

清水舊消費市場正門。位在大街路埤仔口旁，在此之前的市場在今日文昌街二號一帶。1927年為了擴大經營規模，市場遷移至清水農會、臺中商業銀行清水分行附近，後因離當時市區較遠，又遷至今日市場所在地。（蔡正文／提供）

當時走在大街路上還能聽到藝旦練唱的聲音。而朝鮮樓則就是來自朝鮮的女子，不喝酒、純拉客的生意。至於一文字酒家，就是純粹喝酒的地方了。當時街上也有提供給來往旅客住宿的本島人旅館、山本旅館，但現在已不知道確切的位置。

除此之外，這條路上還是廟宇的集中地，從中航路轉彎進來大街路，大街路上每一條與橫的街相連的路沖之處，都設有一間廟宇，大概是在風水上，路沖之處不適合當住家也不適合做生意，因此蓋廟化解此風水，倒也使得此條路上的街景十分有趣。

從現在中航路上山與大街路交界處開始，旁邊是放著許多先人骨灰的萬善堂，萬善堂旁邊是中航路，早期清水要往航空站、大雅等臺中市區的主要連外道路即是要走這條，又被稱為「清水崎」，表示彎彎曲曲險峻之意。

首先映入眼簾的是臺中港佛教蓮社，外觀沒有雕梁畫棟也所以繁複多變的建築裝飾，只有一屋頂佛教的萬字符號，因為當時的住持認為蓮舍是供在家信眾禮佛共修及聆聽佛法的道場，所以沒有一般廟宇的迴廊，空間給人一種莊嚴肅穆、寬敞寧靜的感覺。

再往前走一點路，從房舍之間的小巷子往上爬，忽然一空地敞開，在上駐立的即是聖南寺，早期是奉祀呂洞賓，但後來轉拜佛祖，二月廟前櫻花盛開、三月苦楝花開的時候，正是適合走路散步欣賞花景之時，但千萬不要情侶一起去拜呂洞賓，因為呂洞賓曾是被西王母娘娘禁止參加蟠桃大會，硬生生與其愛人拆開來的神仙，因此他最痛恨的就是情侶，不過如果有那種想分卻分不掉的對象，倒是可以去試試看。

往前走就會抵達開基福德祠，也就是清水最早奉祀而建的土地公廟，廟中即有一清嘉慶年間（1812 年），當地居民蔡光福送的「鰲山古地」匾額，見證了此座山的屹立不搖，數百年間做為清水的屏障與最安心的依靠。這位蔡光福就是清水二蔡一楊家族中建立蔡泉成房號的祖先，承繼著其爺爺第一代來到臺灣的家業，持續向業戶承租土地開墾，並於牛罵頭汛塘周遭（也就是今天的大街路上）購置房產經商，胼手胝足地打拚江山，而土地公掌管了土地生計與財富，清水當地的商人們總

鰲山古地匾額。

是虔誠地祭拜，莫不祈求風調雨順、生意興隆。也許就是在土地公的保佑之下，清水的商家常常都是傳承了好幾代，每一店家都蘊含了豐富的歷史故事。

越過神社崎後則有一間十分隱密的小寺，叫做碧華寺，是晚於1949年才設立，原本是位於光復街上，但因為信眾漸多後，需另覓他處土地，後來才在此處買下，供奉的主神明是陳靖姑，乃是三奶夫人之一，據說非常的靈驗，每逢農曆三、六、九日就會有許多信徒排隊等候請教問事。較為有趣的是在碧華寺供奉的地藏王菩薩後方，有一個清水街震災殉難死者諸精靈之神主牌，用以祭祀那些不幸在中部大地震過世的人們的共同靈位。

另外在大街路上，還有清水唯一一間三山國王廟(32)，又叫作「調元宮」。創建已近三百年的歷史，清水人習慣稱為「王爺宮」，主祀「巾山」、「明山」、「獨山」王爺。根據日治時期的調查，三山國王廟建立於乾隆53年（1788年），佔地七百多坪，神像雕刻十分傳神，現今師傅已無法模仿，可謂之無價之寶，但之後因為客籍鄉親逐漸前往豐原、石岡、東勢一帶入墾，寺廟原本鼎盛香火逐漸沒落下來，加上昭和10年（1935年）的中部大地震，將原有的廟寺建築規模震毀，現存的宮廟建築乃是民國48年重新修建，規模和格局較原有的小了許多，已難看出當年寺廟的宏偉與莊嚴。

除了廟宇之外，大街路上也是日治時期所有重要機關的所在位置，除了先前所述的清水街市場，還有米穀檢查所、帽蓆檢查所、派出所、街役場、郵便局、電火局及輕便車站。

米穀檢查所，顧名思義，即是用來檢查農民生產的稻穀，揀選好壞、分級分類，通過檢驗者才能夠出口。日治時期的總督府於 1904 年頒布「輸出米檢查規則」，於輸出港口及主要的產米地區設置檢查所，並開始擴及於地方各廳的廳外輸出米的「檢查組合」事業。清水的米穀檢查所及是在這樣的背景下應運而生，而經過挑選的米穀，自然也對於臺灣米的品質有了保證，使得米價開始往上揚升，而販售的米價上升，對於農民的生計自然就稍微提高了保障。

帽蓆檢查所則是設立來檢查農家副業所製作的草帽、草蓆等產物，說到草帽，可能大家都會聯想到大甲藺草帽，但其實清水也有許多商家是做草帽貿易的生意起家，在清水各處收購農家婦女閒暇時所製作的草帽或是草蓆，先用鐵道運到豐原，再從豐原搭山線鐵路運到基隆後，再從基隆港出口，運到日本當時的貿易大港——神戶，然後再販售到世界各地。像是今日知名的戴勝通、戴勝益家族，即是經營帽業生意起家。在日治時期，帽蓆產業是維繫臺灣民生很重要的一個來源，因此日本總督府也極為重視，會根據世界的時勢去判斷進出口的原料。檢查所除負責檢查帽子或原料外，也有研究、調查帽胚的生和出口等工作。官方、

舊清水鄉公所，也是日治時期的清水街役場。據當地耆老所言，清水街役場的內部擺設大方、建築物冬暖夏涼，施工亦十分精良。（李宗德／提供）

半官方檢查時的檢查員均為總督府職員，由總督府委派和發薪。

1920 年因為地方制度改制，全臺設置五州二廳、下設市郡街庄，牛罵頭街在此時改名為清水街，隸屬於臺中州大甲郡，而大甲郡的範圍包括了今天海線的大甲、大安、外埔、清水、沙鹿、龍井、梧棲、大肚

大甲郡役所，最早設於文昌祠東廂房，此為 1927 年新落成的郡役所廳舍，在今日清水區中山路華南銀行清水分行附近。（吳榮發／提供）

等地區。而大甲郡役所及設置在清水，一開始借用清水文昌廟東側廂房辦公，當時的西側則是清水街役場。昭和 2 年（1927 年），大甲郡役所遷移至今中山路新建廳舍。在中部大地震的時候也成為災民收容與急難救助的場所，這塊區域現在成為公有的牛罵頭停車場，而舊時的郡役所宿舍，則是現在華南銀行的所在地。

清水街役場則遲於昭和 12 年（1937 年）地震後於今中山路旁、鎮南街南側落成，公務人員陸續移到新的役場辦公，街區上之所以會有鎮南、鎮北的路名出現，其實就是因為街役場的關係。從此之後，原本倚著大街路發展的重心才開始往西邊跟南邊轉移。而原本在大街路上還存有的街役場宿舍，也是從日治時期一直留到 2011 年左右，才因為公所不堪修繕費用而將其拆除，但遲至今日這塊地還是空地未見任何使用。

另外郵便局和電火局的設立，其實也是見證清水建設現代化設施的歷史悠久，郵便局設立於 1897 年，位於現在的開基福德祠對面，在早期沒有電話的年代，人與人來往必須要透過書信，而交通不便的時候，也必須透過人力的傳送，因此郵便局的設立，即是正式地將傳遞溝通的業務納入公部門的體系之中，也是日治時期重要的政策之一。

電火局的設立則較晚，乃是於 1927 年才開始設立，但與臺灣其他地方來說還是算極早就開始用電的城市，電火局的位置及位於開基福德祠的後方，當時稱為散宿所，有專人在此駐紮，可惜也已經拆除原有建築。而電力的服務處也在民國 35 年後，移到現在清水街上鰲峰書院的旁邊，一直到現在。

有市場、機關還有廟宇，這條大街路上，還有原本大戶人家的土地與房舍。現在的鰲峰活動中心旁的成功塔附近，原本是蔡源順家族的公廳，蔡源順家族是清水二蔡一楊中的另外一個蔡，不同於旗竿蔡的蔡泉成商號，蔡源順是蔡八來所創立的商號，此家族自蔡八來起，以牛罵頭為基地在兩岸做貿易，將臺灣的糖、米、樟腦運到大陸販售，旗下帆船往返於泉州、福州之間，並遠至天津、 北京，因此不到幾年就富甲一方， 也奠定了蔡家的基礎。而原本設在自來水廠旁成功塔附近的蔡源順公廳，供奉的就是蔡八來。

蔡八來生了五個男孩，其中長男與四男為去福州考鄉試而客死異鄉，因此主要將源順號發揚光大的人是三男蔡懷斌與五男蔡懷淇，懷淇作為懷斌的得力助手一同經營家業，在這樣的基礎上，懷淇的長男蔡蓮舫（1875 － 1936），即是在這個時候出生，據說在 1895 年日軍來臺時，整個源順號家族的人曾避居中國大陸，只留蔡蓮舫在清水守護家業，但因為他守護家業有功，被分到今天臺中公園附近的一大片土地，與林烈堂、吳鸞旂幾乎三足鼎立，是臺中市仕紳文人圈中的「第一流人物」。（李毓嵐 2013 年）

有趣的是，他在 1918 年的時候，曾買下位於臺中市新庄子庄，也就是大概是今日火車站後站附近的丸山旅館作為住所，而這個丸山旅館曾是 1911 年梁啟超訪臺的時候曾經住過的地方。

蔡蓮舫曾擔任過臺中區區長、牛罵頭信用組合組合長，也參與創辦了臺中一中、彰化銀行。大戶人家跟大戶人家的聯姻更是常見，他的妹妹蔡佩鋸嫁給霧峰林家的林烈堂，他與大房吳黛雲所生之女嬌霞則嫁給了板橋林家林維源三子林祖壽（1895 年～ 1944 年）。這兩場婚禮在當時都曾轟動全臺灣，據說蔡嬌霞當時所帶的嫁妝，多達 150 個箱子，浩浩蕩蕩地從臺中出發到板橋，當時整個板橋都是張燈結綵、喜氣洋洋，眾人都到街上圍觀此熱鬧的婚禮。

另外一位則是蔡惠如，蔡八來的長子所生的三個小孩中，有長子蔡敏川與次子蔡敏南、三男蔡敏貞，其中蔡敏南過繼給其二叔蔡德晉，蔡敏南生的長男就是蔡惠如（1881 年～ 1929 年）。其中蔡敏南與蔡敏川，雖然因為敏南出繼而不同家，卻依然感情很好，在今天清水文昌街與大街路口，興建了一棟三層樓的洋樓，名為伯仲樓，兩家子住在一起，彰顯伯仲之情誼。而蔡惠如就是在這樣的環境中成長，受過漢文教育，飽讀詩書，因此也與文友創立了鰲西詩社，後也加入了櫟社，曾有一受邀的文友莊龍，在 1924 年拜訪了蔡惠如之後寫下了這首詩〈鰲峰訪惠如社兄賦贈〉：

相逢樽酒暮春時，攜手憑欄慰素思。

雨霽波光涵樹遠，院深鳥語出花遲。

三層樓閣居宏景，半榻茶煙感牧之。

閒坐與君清話久，卻忘紅粉數歸期。

其中的三層樓閣居宏景，指的即是伯仲樓，這裡不僅是文人雅士聚集的場所，更是有限責任牛罵頭信用組合事務所的所在地，很可惜的是這棟樓在 1935 年中部大地震後倒塌，之後重建的房舍就已不是當年的樣貌。

蔡惠如在 16 歲的時候其實就已經擔負了家族的重責大任，到臺中

伯仲樓，為清水望族蔡源順家族蔡敏南（即蔡惠如之父）及蔡敏川晚年居住的西洋樓，位於今日清水大街上，可惜毀於 1935 年中部大地震。（蔡正文／提供）

經營米穀會社與公司，當了十四年的社長和公司長，創辦協和製糖會社，後又創辦牛罵頭輕鐵株式會社。在地方上培養的實力逐漸雄厚後，在 1912 年至 1914 年受任擔任當時的臺中區長，但因為不滿當時日本警察的蠻橫霸道，提出批評，卻因為這樣而被警察罰違警，要他選擇拘留、勞役或是罰金的三種處罰，結果蔡惠如選擇了勞役，當時的臺中廳警務課就給了它掃把畚箕，押著他到馬路上掃街，但是卻吸引了大批的民眾前來圍觀，因為民眾感受到他是在為人民發聲，反而都高喊著蔡區長萬歲來支持他，警察眼見看情勢無法控制了，只好草草結束對蔡惠如先生的懲罰。在這之後，蔡惠如就辭了區長一職，除了經營生意外，又開始投入了鼓吹民族自覺的運動，包含了六三法的撤廢與設置臺灣議會請願運動，蔡惠如皆在其中出錢出力，只可惜他於 1929 年英年早逝，臺灣痛失一個人才。

蔡源順家族早期的公廳與合院原先是居住在大街路靠山的這側，但因為要興建自來水廠，當時日本警察以保護水源地之名，希望他們搬離，所以蔡家才把公廳搬遷到社口附近，為什麼是選擇社口呢？其中有一個說法是，當時他們希望在梧棲港與清水街中間另外尋覓一中間的節點，而社口的位置正是適當的位置。從今天的鰲峰路一直往西南邊延伸而去，就會抵達梧棲，而梧棲的舊名即是「鰲西」——就是鰲峰山之西邊的意思。若能夠了解當時船運對這些大戶人家經商的重要性的話，就不難理解為什麼會取名叫鰲西，因為即是從鰲峰山作為這些大戶人家的發跡中心而命名的。

港口與鐵路

清朝末年，時稱五叉港的梧棲港(33)已是清水、沙鹿等商家重要的貿易港口，當到了日治初期，日本政府指定本港為別輸出入港，准中國式帆船進出，並設立支關以司稅收。但是自從山線鐵路於 1908 年興建完畢後，地方的貨物用鐵路運輸到基隆港後再送出口貿易，會比用航運從梧棲運到基隆要來得快，又不會有颱風、翻船等危險，因此梧棲港的功能就逐漸沒落，但此時清水的商人們即開始轉變產業的貿易型態，瞄準草帽出口業、鐵路運輸等事業開始經營，再加上海線鐵路籌建於 1919 年，並於 1922 年完工，鐵路經過清水設站，對清水作為連接山海線的貨物集散地，又幫了一把。

建海線鐵路的起因是適逢一次大戰末期，未曾受到一次大戰戰火波及的臺灣，農工產品出口產量穩定上升，導致山線鐵路的運輸系統不堪負荷，而於 1917 年發生了「滯貨事件」，只有一條鐵路線的鐵道部，在從彰化運到三義勝興車站的這段路程中，一方面是南北的貨物運輸量過多，二方面是此段鐵路因為需要爬坡，載貨量較少也較為緩慢，而導

清水名門仕紳楊肇嘉（1892年～1976年）與被譽為「清水孔夫子」的楊丁（1905年～1996年）留下的珍貴合影。

致許多稻米、糖等有時效性的食物堆積在車站的倉庫中而漸趨腐敗，因此當時的總督明石元二郎，即決定要興建另外一條鐵路線，以紓解中部山線鐵道雍塞的情形，而剛好在這個時候，出身清水楊家的楊肇嘉先生（1892 年～ 1976 年），因為協助其父親楊澄若擔任牛罵頭街長的工作，熱心公眾事務，向日本當局積極地爭取海線鐵路經過清水與沙鹿，剛好又適逢他於 1920 年接任臺灣地方制度改制後的第一任清水街街長，為清水積極爭取建設，海線鐵路從 1919 年開始興建，終於在 1920 年 12

月從彰化通車到清水。而整條海線鐵道(34)也於1922年順利通車到竹南。

清水當地對於鐵道的興建盛行著各種說法，有一派人說，當時在興建海線鐵路的時候，從沙鹿到甲南之間，若是直線興建的話，其實應該會沿著大街路而行，那紫雲巖就會被拆掉，但紫雲巖是當地人的信仰中心，當地人怎麼會願意呢？而另外一個說法是，若從沙鹿直接經過大街路，坡度會太過陡峭，所以才必須繞路；但還有另外一種說法，是因為鐵道的用地與當地家族的利益相關，若是經過紫雲巖這條路線，會經過蔡家的土地，但如果經過社口呢？又會經過楊家的土地，而鐵路的建設在當時還是抵不過大戶人家風水的重要性。因此在當地人與仕紳的共同請願之下，海線鐵道在清水這一段，才把車站興建在離清水老街區較遠的地方，並繞了一個大彎，直到清水街區北邊過米粉寮大排之後，才向右彎進去靠大肚山腳的地方往北邊行駛。但這樣一個大轉彎，反而讓清水的街區留下了完整的區塊，也創造了更多美麗的風景。

但早在1908年山線鐵路(35)完工後，日本政府即開始鼓勵各地的民眾自己籌辦私設的輕便鐵道，清水當地的仕紳蔡惠如、蔡年駿等人即創辦了牛罵頭輕便鐵道株式會社，籌資四萬元設置輕便鐵道。此輕便車道的設置是為了載運製糖原料，其次才是載運民眾，三條主要的路線為大肚至牛罵頭（長12哩），牛罵頭至神岡（長7.1哩），沙鹿至梧棲（長2.3哩），而這條鐵路的營運在1918年移轉給臺中輕便鐵道株式會社管

理。

隨著時間的演變與民眾的需求，軌道或有增減，而在 1922 年海線鐵道完整通車之後，海線鐵路北至竹南、南至彰化，對海線的交通有極大的進展，再加上 1928 年，往豐原與臺中的公路通車後，輕便臺車的功能便逐漸消失。1931 年，沙鹿製糖會社另外開闢沙鹿往清水、三塊厝、四塊厝的輕便車道路線，但是只營運到 1933 年就結束營運。1935 中部大地震，清水街區上的鐵道也多被震毀，而這些震毀的軌道，為了不浪費，就會將它拿來當作車站站體的屋簷，今日在許多車站的月臺棚架還看得到。

輕便車其實又叫臺車、人力車，通常是一片木板，下面有四個輪子，在四方架設四個竹竿，前方兩根給旅客支撐、後面

埤仔口，早年清水婦女常聚集於此洗衣服，當時的臺車軌道跨水而過。據耆老回憶，婦女在此洗衣服時都很擔心車子會掉下來。（陳景星／提供）

兩根由車伕握住，除了用人力推動之外，也有的會利用風力或是長竹竿支撐，是早期在山林、礦場、糖廠常見的交通工具，每臺車可以坐四個人，票價依距離而訂定標準，這樣的交通運輸方式在人力車跟三輪車還沒出現之前，是很常見的大眾運輸。

清水輕便鐵路的主要軌道從沙鹿鋪到清水，往北還可以到達大甲溪畔，另外還有支線，一條支線通往高美，另一條支線則是從清水火車站拉到大街路，經過萬善堂、開基福德祠後，又沿著埤仔口水圳，再接回主幹線。今天大街路上的開基福德祠旁邊的香客大樓，前身即是輕便車站的售票處，而售票處的對面，即是搭車的地方。但是我們至今還未能得知此輕便車站何時開始停止運作，只知道在 1962 年的照片中，還可看到清水的埤仔口圳上方有輕便車道的鐵軌經過，而輕便車站的售票處，則是到了 1995 年中山路拓寬之前還存在，只是開基福德祠興建香客大樓後就被拆除。

所以我們可以想像，在清末及日治初期的清水，主要是依著鰲峰山、大街路與紫雲巖而逐漸形成的熱鬧街市，再從這裡慢慢的往西邊發展，整個清水街區的樣貌是隨著大時代的政策變化而跟著變動，但地方上的耆老仕紳們還是十分有影響力，能夠從中給予建議。這個時候的清水，地方上的能量十分的強勁，有錢出錢、有力出力，辦學、造橋、鋪路都由地方的人們自行捐獻、造福社會，但又十分低調、不居功，一直

開基福德祠，創建於清乾隆年間，廟旁原本有一水池，供昔日患有疥瘡、瘤毒潰爛等病症的病人取水洗濯，受益者相當多，也為百年老廟增添更多傳奇。

到今日，清水人在士農工商，甚至政治界都曾有過一席之地，也十分願意幫助有才華的子弟繼續唸書、深造藝術、音樂等，也許就是來自前人的遺風所影響。

鰲峰山舊貌，現已改建為鰲峰山公園。（黃正忠／提供）

第五章

鰲峰山上的吉光片羽

神社・軍營・牛罵頭遺址

清水神社早已被拆除多年，只能從老照片及神社崎中探尋其樣貌。（蔡杏元／繪）

鰲峰山上還有一個乘載著 4,500 年歷史的場域。1937 年前，這裡是海線八大街庄的運動場，由於當時統領海線八大街庄的行政中心——大甲郡役所設在清水，清水又是東西南北貨物運輸的集散地，就由當時的清水街長周頤楚先生主持，在山坡上開拓出一寬敞的地勢，成為俯瞰海線的絕佳視野。1937 年，清水神社 (36) 選擇在此建立，也應該是因為此絕佳的視野與高度，符合神社的興建條件。因應著這個地理位置，國民政府來臺之後，清水當地的民眾將神社拆除，軍隊在此設立了陸軍防砲軍營，從此門禁森嚴，直到 1997 年營隊撤除。在這段期間因為陸續動土興造房舍，發現出土許多史前的陶片、石器，於 2002 年開始規劃牛罵頭遺址文化園區 (37) 的成形。經過了長久的歲月與鋪陳，一座跨越不同歷史時期的博物館才逐漸在清水萌芽發展。

也許就是因為有著這樣豐富的歷史積累，這個地方也充滿著許多有趣的故事，這些故事，若沒有經過探訪、疑惑、思考，也許就從來不會被發現。比如說，大家都說神社在國民政府來了之後被拆掉了，那被拆掉的木頭現在在哪裡呢？在一次偶然的機會中，與三塊厝那邊的黃氏宗親聊天，竟得知原來拆掉的木頭，被他們的祖先買走了，並用來建設位於三塊厝供奉鄭成功的廟宇一鎮安宮的樑柱。現在到鎮安宮去觀看，每一根漆上紅色亮漆的柱子，就是那些來自神社的木材，柱子上還有著許多清水耆老的署名。

鎮安宮現在的柱子。

從老照片中可以看得出來之前牛罵頭遺址文化園區大門前的那條路兩旁，擺滿了各地信徒奉獻的石燈籠，但是神社在拆掉之後，都到哪裡去了呢？據說有一些被安置在大甲鐵砧山上，有一些被不知名的人搬回了自己家裡擺放再也找不到，現在只剩下幾座殘骸，遺留在園區裡。

那為什麼這裡被稱作牛罵頭遺址文化園區呢？遺址是過去的人們生活留下來的遺留，在分布上有一定的脈絡，形成一個範圍、區域，

右上圖：神社正參道上的石燈籠依稀可見。
右下圖：清水神社落成時的祭典。

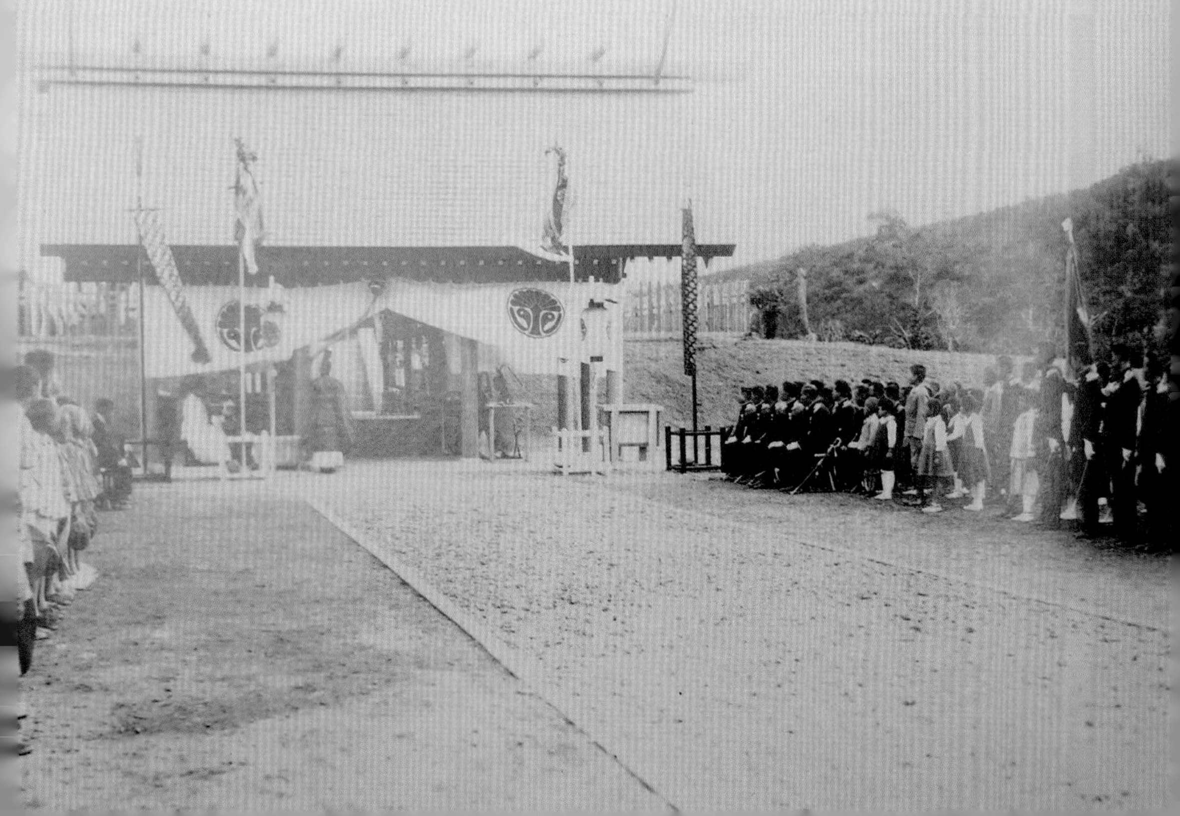

在經過考古學者的發掘、蒐集遺留與分析之後，可從獲得的考古遺物去做判斷當時的人們生活的情景。牛罵頭遺址的發現最早可來自 1943 年，當時任教於臺北師範學校的國分直一先生，在大肚溪北岸以及大肚臺地西側一帶做調查的時候，即已在牛罵頭地區發現了牛罵頭遺址的陶片，但因為國分直一先生當時的重點擺在大肚的營埔遺址，因此並未在此多加著墨，他只寫了這一段：「營埔之先史文化在大肚丘陵西緣，及於清水神社遺跡（清水神社現已廢止，如以其土地舊名稱之，則似以稱為牛罵頭遺跡為宜）。在此遺跡中，甚為明顯，營埔文化與大肚丘陵之赤色系土器文化共存著。」同時也發現可能早在 1937 年神社興建的時候，就已經有出土陶片與石器，而由當時的神社寺主西川昌澄氏收藏著。但是在戰後，因為新政府的到來，

牛罵頭園區裡的狛犬。

並不鼓勵神社信仰，神社建築物可能就在當地人的自我審查下將其拆除掉，而也因為拆除神社，餘下的那些木頭，才有可能被黃氏家族收購後，再用來興建其家族廟宇，也就是現在的鎮安宮。

1955 年，從劉斌雄先生調查牛罵頭遺址的報告書中撰寫而得知，當時要爬上鰲峰山的路有四條，其中一條是向南的陡坡，也就是以前神社的正參道：「有一條路直通正殿，路兩側現仍留有石燈籠。」表示在戰後，雖然神社已經殘破，但是正参道兩旁的石燈籠還留著，只是在時間的更迭下，現在已不復見，只剩下幾個燈籠的殘片留在園區中，還有一些底座曾被用來當作軍人站哨用的立石，漆上藍紅白三色而難以辨認其原本的樣貌。而更多其他的古蹟遺物，就只能等待有心人士的發現與歸還。

另外三條路，其中一條是後參道，或是又叫做側參道，當地人則是稱為「神社崎」(38)。乃是從山下要到山上現存最完整的階梯道路。舊時人們要到神社參拜，就是走這條路；只有開著車的大官員們，才能走正 道到神社參拜。神社崎從大街路開始興建往上延伸，約莫要走個 288 階，所以又被稱為延壽路，若是每天爬個幾次，那壽命自然就會延長了。

1937 年盧溝橋事變爆發，日本開始了與中國的戰爭，也是二次大戰東亞的戰場。為了試圖讓臺灣這塊殖民地上的人們可以盡忠報效日本國，日本政府開始推行皇民化運動，試圖要讓臺灣的人們著日本服飾、說日本語、信奉日本的神祇，因此著手實行一街庄一神社的計畫。但截至 1945 年為止，日本官方的神社 (39) 才 68 個，當時的街庄有 197 個，很明顯其實並沒有完全成功；但是至少在郡級神社的部分，51 郡當中，只有 9 個沒有郡總鎮守的神社，其他都有，而清水神社就是其中一座郡

神社崎階梯又被稱為延壽路。

守神社。

當時地方上的人們還請求臺中神社的神職人員前來管理，在臺灣總督府的職員系統中，可以找到當時第一任清水神社的社掌，是臺中神社的社司櫻木清臣兼任清水神社的社掌，但櫻木清臣在 1938 年辭職，並改由西村昌澄遞補，西村昌澄先生就此擔任清水神社的社掌，並於

僅存的神社圍牆。

1940 年成為社司，一直持續到 1945 年政權轉移為止。

當時的神社作為日本人鼓勵臺灣居民信奉日本的神祇，在神社裡供奉天照大神、開拓三神與北白川宮能久親王(40)，神社的建築物與元素，包含鳥居、石燈籠、狛犬、駿馬、社務所、拜殿、正殿等，其中正殿因為供奉神祇不能夠進去，拜殿是一般民眾參拜的地方，社務所則是

僅存的石燈籠景象。

清水神社落成時的盛況。

神官們辦公的地方。

從老照片上可看到，清水神社落成的那一天，舉辦了大型的慶典，神社的僧侶早已沐浴齋戒準備好當天的社祭，當天參加的各方長官貴賓，在洗手過後，在正殿前面舉行儀式，另外在清水街役場前廣場也有熱鬧的祭典活動，民眾一同參與熱鬧到夜晚才停止。

在所有的神社神祇中，又屬北白川宮能久親王與臺灣的關係最為密切，馬關條約簽訂，臺灣確定被割讓給日本後，北白川宮能久親王在 1895 年受命來到臺灣，從基隆澳底登陸後，軍隊一路往南接收臺灣，途中不斷地接受到地方勢力的對抗，而因為在史料上因為最後北白川宮能久親王是在當年 10 月 21 日攻進臺南府城，並宣告全臺抵定後，10 月 28 日就宣告過世，所以日本當局為了紀念北白川宮能久親王，只要是他在臺灣待過的地方，就會立一個御遺跡地，並保留其建築物。

在清水，正好就有著北白川宮能久親王經過此地所留下的御遺跡地，即是當時他從新竹一路南下，8 月 25 日經過牛罵頭時，借住在清水當地的「旗竿蔡」家，也就是蔡泉成號家族的太和堂裡睡過一晚。當時是蔡泉成號創建後的第三代蔡鴻猷當家，蔡鴻猷因為在 1851 年中試舉人，而在當時能夠考到舉人，其所居住的房舍，就可以在建築物的屋樑上裝飾燕尾向上翹，也會由清政府出資在舉人自宅或廟前豎立旗竿，以示功名，此為「旗竿蔡」的由來，只是今日這個旗竿已不復見，而蔡鴻猷所建的太和堂，也在中部大地震的時候震毀，只是有再度重建，今日清水街 4 號就是太和堂震毀後重建的建築物，現在裡面還藏有據說是當時親王睡過的紅眠床，被稱作御寢臺。

可是根據蔡家的後代，蔡仁卿曾孫蔡振名所敘述，這個紅眠床並

下頁圖：櫻木清臣辭職，由西村昌澄接任。
（資料來源：國史館臺灣文獻館《臺灣總督府檔案》）

人甲第三七八號

昭和　年　月　日受
昭和　年十二月二十二日立案

昭和　年　月　日
昭和十四年一月六日決裁

淨寫

校合

總督　委任　總務長官　人事課長　理事官　不在　主任

府報揭載
昭和年十二月二十七日發令

辭令案

縣社臺中神社社掌　西村昌澄

清水神社社掌ニ補ス

縣社臺中神社社司兼清水神社社掌　櫻木清臣

願ニ依リ清水神社社掌兼職ヲ免ス

北斗神社社掌兼北斗神社社掌

年　月　日

名

664

西村昌澄擔任社掌的檔案。
（資料來源：國史館臺灣文獻館《臺灣總督府檔案》）

昭和五年三月二十日	無試驗檢定ニ依リ學正ヲ授與ス	皇典講究所長
仝	本學附屬神道部ニ於テ雅樂龍笛ヲ修メタルコトヲ證ス	國學院大學
仝	本學附屬神道部在學中教練ニ奮勵勉勵セシコトヲ證ス	國學院大學附屬[illegible]
昭和五年九月二十五日	歷史科ノ内日本史、東洋史、教員免許令第三條ニ依リ頭書學科ノ教員タルコトヲ免許ス	文部省
昭和五年十二月四日	香川縣土庄商業學校教諭ニ任ス 十級俸給與	香川縣
昭和七年八月十日	本會主催ノ萬葉集講座ニ出席シ左ノ科目ヲ修了セシ仍テ之ヲ證ス 第一巻 第二巻 文學博士 折口信夫 特別講演 仝 金澤庄三郎 第三巻 第四巻 仝 武田祐吉	財團法人國學院大學院友會
昭和八年七月十一日	九級俸當分六拾參圓給與	香川縣
昭和九年九月二十一日	公立學校職員分限令第八條第一項第五號	

位勲爵	博士
府縣族籍	香川縣 平民
生年月日	明治四十年七月二十日
本籍	香川縣三豊郡比地大村参千百四拾貳番地
現住所	臺中市錦町五丁目九番地
出生地	香川縣三豊郡比地大村参千百四拾貳番地
戸主	
戸主氏名	
氏名	西村昌澄（ニシムラ マサズミ）

年號月日	任免賞罰事故	官衙
大正九年三月二十六日	尋常小學校ノ教科ヲ卒業セシコトヲ證ス	香川縣三豊郡比地大小學校長
大正十五年三月六日	本校ノ課程ヲ履修シ其ノ業ヲ卒ヘタリ仍テ之ヲ證ス	香川縣立三豊中學校長
仝	特ニ劍道ヲ励ミ其成績優良ナリ仍テ之ヲ證ス	香川縣立三豊中學校
昭和二年八月二十九日	第二乙種歩兵第十八番 右陸軍補充兵ニ編入ス	丸亀聯隊區司令官 新德太郎
昭和五年三月二十日	本大學附屬神道部ノ學課ヲ修メ其ノ業ヲ	

不是親王睡過的床，當時親王來到蔡家，是用簡單的兩個五斗櫃拼湊起來而睡，但是在親王離開後，因為報紙報導與民眾需要，為了美觀因素，就商借了蔡 初結婚用的紅眠床作為展示，被當作是親王睡過的「御寢臺」。據說此床後來也曾被搬到清水神社內部供各地來訪的民眾參觀，只是在神社拆掉之後，此床又被移回到家中收藏著。

大正 6 年（1917 年）《臺灣日日新報》採訪蔡栢初（蔡鴻猷的孫子），回憶當時的情形（譯文）：

八月二十四日午後，一群士兵來到家中以杉木與竹幹做成簡陋的小屋，屋頂鋪上稻草，大家住宿於其中。翌日二十五日早上十點左右從大甲來了一 隊軍馬，家主預先思量有事變的可能性，把家族的大部分移往附近的秀水庄避難，剩下極少數的家人。多數軍馬進入右方簡陋小屋，左邊栓了一匹壯碩的馬。士兵在前方鰲峰山腳打起帳篷休憩，並慎重護衛家的內外。家中放置祖先牌位的一棟由將官休息，另一棟正室似乎由尊者及數名隨從進入使用。接待使者的蔡柏初戰戰兢兢地到了正室右方的第一房，謁見由四五位隨從擁護的尊者，沒有特別的交談，退下之後，其中一名隨從過來並說「關於今日尊者留宿一事，家族皆用心且無不敬」。二十六日早上軍馬離開之後，環視房間時，發現正室的左門貼著「北白川宮殿下」的紙片，才知道尊者身分的尊貴，著實惶恐。

因為親王曾經蒞臨過，所以在太和堂的前面，立了一個「北白川宮殿下御遺跡碑」，在日治時期只要是經過此處，都必須要向此碑行禮，若沒有向碑行禮的話，就會被在旁邊守衛的警察大人斥喝，讓許多清水在地老一輩的人印象深刻。但是時至今日，這個御遺跡碑似乎下落不明，現在還不確定是否在蔡家宅院裡面被好好的安放著，又或是流落到何方，還有待查證。

而當日治時期結束之後，這塊半山腰的平臺，被中華民國陸軍納入管轄，在其中興建了八棟房舍，作為陸軍砲兵的營區。因此從 1949

太和堂舊貌是有燕脊的建築，可惜毀於中部大地震。（蔡錫龍／提供）

大和堂現貌（葉子源／攝）

年到1997年，這個地方未向大家開放，當地人都稱自己叫做「兵阿營」，卻從未進來看過，因此更顯得裡面的神秘。只有那些來當兵的新兵，才能夠在這營區裡暫時駐扎，根據當年有在裡面當過兵的叔叔伯伯們說著，當年的二號棟，就是一個營的營長居住的地方，房舍的下方，還有地道可以直接通往清水鬼洞，而在二號棟與五號棟之間的草地下方，其實是兵器彈藥庫的儲存庫，儲存庫的旁邊則是為了躲避空襲的防空洞與站哨。而現在的三號棟跟四號棟，則是給阿兵哥睡覺的地方。整個偌大的草地，就是阿兵哥平常操練的場所。

七〇年代的時候，中研院執行跨學科的濁大計畫，曾經調查牛罵頭遺址的分布，但因為當時此處是軍營，無法進來調查，當時只能在鰲峰山山腳，現在的碧華寺旁挖了三個探坑，確定此處牛罵頭文化的分布。1997年，此營區裁撤後，土地劃歸臺中市政府，開始有不同的聲音出現，例如建議此處建立國中、當停車場；幸好2000年時，文化局委託溫振華、劉益昌兩位學者進行牛罵頭遺址資料搜集計畫案，建議此處列為縣定遺址，並活化再利用，牛罵頭遺址文化園區才油然而生，在2002年被列為縣定遺址，並將館舍化為展覽館，在二號館與五號館做策展。但是雖然被化為展覽館，卻沒有足夠的經費可以進一步活化，因此在2014年7月之前，此園區必須經過預約才能參觀，平常日並不對外開放，所以很多清水當地人還是不知道有這個園區存在。

館內展示發掘到的鵝卵石石棺。

2014 年開放後，陸陸續續有越來越多人來到這裡參觀，不僅安排了導覽志工導覽解說，三號館與五號館的策展也在 2015 年更新展示，增加了許多動態的互動系統，讓人可以更有趣地體驗以前的人們可能的生活樣貌。園區中的三號棟與四號棟也於 2016 年，由成立約 22 年的牛罵頭文化協進會標下做經營管理，未來在這裡將有飲食、展示空間、導覽解說、紀念品等服務，牛罵頭遺址文化園區的未來，更可能朝著經營臺中第一座考古體驗教育館前進，令人期待。

從運動場，到神社，再到軍營，最後到遺址文化園區，這個半山腰的空間，總是引人注目。也許是它的位置，也可能是這豐厚的歷史文化層，令人目不暇給、感動不已。

牛罵頭文化園區，早期曾是陸軍軍營。

第六章

清水街區的斷垣殘痕

影響深遠的中部大地震

沿著神社崎往牛罵頭遺址文化園區前進的路上，有著一間小平房，小平房裡住著一位 2016 年滿 99 歲的外省老爺爺，他家剛好面對 1929 年建造的清水水道廠及紀念 1935 年「墩仔腳大地震」殉難鄉親的清水「震災紀念碑」。這位老爺爺是退休之後才搬到這裡來住，以前則是在軍中工作，自從他搬到這裡住之後，紀念碑旁的空地就被他整理得十分乾淨整齊，種了許多的花草，讓人走神社崎經過此處時，可以在旁邊的椅子上稍微休息一下，欣賞半山腰的花園景致。

老爺爺也曾經跟我們說，神社崎的階梯其實翻修過很多次，中間的扶手也是他向政府建議而建置的，但原因不是為了讓人可以扶著扶手往上走較為輕鬆，而是因為早期有一些開越野車、重型機的人們，看到神社崎這個下坡，喜歡追求刺激，就會開著車往下衝刺，老爺爺常在半夜被吵醒，所以為了防堵人們再騎著車往下衝，請政府來幫忙建置防堵的扶手措施。看到老爺爺這麼愛護這個他所生活的環境，令人十分敬佩。

在他的巧手整理之下，震災紀念碑的花園顯得特別靜謐，紀念碑上紀念的是 1935 年關刀山大地震（又稱作中部大地震或是墩仔腳大地震）往生的人們。會稱為關刀山大地震的原因，是因為震央來自於臺中市北北東方約三十 公里的大安溪中游，位置隸屬當時新竹州的關刀山附近一帶。而會稱為墩仔腳大地震則是因為災情最嚴重的地方是在舊稱墩仔腳的后里區內埔一帶，山線鐵路也因此從中折斷，原本從后里到勝

將震災紀念碑前的花園整理得乾乾淨淨的老伯伯。

1935 年中部大地震震災紀念碑。

興車站的這一段完全無法營運，因而之後才改道興建。

海線鐵道部分則是竹南至彰化長達 11,490 公尺鐵軌下陷以及清水車站半毀，現在的清水車站 (41) 即是大地震後重建的建築，原本的木造建築改為鋼筋水泥材料，於 1936 年竣工。廊下列柱採縮柱式，外牆以溝紋面磚貼飾，呈現樸素的美感，鑄鐵型椅架曲線流暢優美，烘托出古典氛圍。由於距離清水市區較遠，乘客較少，反而讓車站獲得完整保存，現在被列為歷史建築。車站周遭也還有幾棟尚未被拆掉的日治時期車站宿舍，未來都很有可能可以成為再利用的歷史建築。

當時的清水因為中部大地震而受損嚴重，受損的建築物至少超過近千棟，因為地震而過世的人數則有 329 人之多。根據楊肇嘉先生的回憶錄寫到，當時僅有 4,987 戶的清水街，房屋全倒的有 1,384 棟、半倒的有 1,406 棟、大破的 567 間、小破的也有 350 間，受災幾乎佔了全清水街總戶數的四分之三。

但因為清水通報災情的時間較早，又即早開始進行救援的工作，當地的人們有錢出錢、有力出力，所以清水的恢復極快，也因為中部大地震的關係，日本政府開始進行了第一波的都市計畫，將清水的市區街道改正。清代時的道路因為是人逐漸走出來的道路，所以較為彎曲、狹小，寬度僅能容許一臺牛車通過。

而在 1935 年大地震後，日本政府即趁著重建的事宜，乾脆一起將街道也重新調整，以因應未來的發展。從《清水第一街》書中搜集的資料即可看到，此波市街改正包含了豐原、內埔、神岡、石岡、清水、梧棲、沙鹿，但在所有的區域中，清水的市區面積最大，將近 87 萬平方公尺，所花的徵收的錢就遠高於其他鄉鎮，計畫的街路也多達 25 線路，都用直角正交的方式設計，街道寬度也統一用 15 及 11 公尺兩種規格，這使得清水的街區風格如此一致，又整齊劃一，讓人能舒適的在街道上散步。

文昌祠與清水國小

倒塌的房舍中具代表性的建築包含創建於 1845 年的文昌祠。文昌祠的源起來自於蔡光福的六子蔡媽居與蔡源順號的蔡八來、楊同發號楊漢英，共同發起集資興建「鰲峰書院」，因為在書院中供奉著蔡泉成號的祖先蔡德榮從泉州帶過來的文昌神像，因此又稱為文昌祠。地方上的熱心人士，為了教育的事業總是熱心奔走，籌募書院學童的油燈錢，或是請老師來到此教書的費用。

清朝時，地方上不管是經商富裕的人家，又或是地方豪傑，莫不希望可以透過科舉制度獲得功名，清朝政府也樂於用科舉作為攏絡地方人士的手段，在那個年代，似乎有錢有勢力還不夠，必須要獲得功名與名望，才算成功。而蔡媽居的長子蔡鴻猷，就是清水第一位舉人，使蔡泉成號家族有「旗竿蔡」之名的人物。

在日本政府來到臺灣之後，文昌祠還是維持其教育的功能，日本政府於 1897 年在文昌祠的東廂，成立了臺中國語學校的牛罵頭分教場，作為學習日本語的教育場所，隔年則立即成立牛罵頭公學校，公學校的位置大約是今天的文昌街與中山路交叉口的這塊地蓋教室，1921 年改名為清水第一公學校，專門給臺灣人唸書，而給日本人唸書的小學校，則是位於今天的清水高中。後來因為公學校的學生人數逐漸增多，於 1935 年 3 月才遷到今天的光華路旁，為什麼要強調 3 月呢？因為清水國小 (42) 的校舍在 4 月 21 日的中部大地震前就已經蓋好，但地震的時候只受到輕微的波及，因此，清水國小古色古香的 U 型校舍與大禮堂，經歷過中部大地震卻依然屹立不搖，成為見證歷史的活古蹟。

有趣的是，聽說當時在要興建校舍時，地方上剛好邀請了日本最流行的天勝大馬戲團來到清水演出，而選擇演出的地方，就是清水國小新填好的校地，因為演出當天有許多民眾會踩踏土地，剛好幫忙壓實校地，省了一番工夫（蔡紹斌 1997 年）。

直到今天，清水的子弟們還是在國小裡學習，可能一個家庭好幾代都在清水國小唸書、畢業，到今天已經百餘年，清水國小的校舍與大門口，依然保持著舊式的模樣，未曾翻修改變，而這也已經成為歷代畢

1929 年的鰲峰書院（文昌公廟）前師生合影。

業校友最難忘的回憶，彷彿在一切變動的世界中，國小還是老樣子，總是可以給校友們最感動的懷舊記憶。

但是文昌祠的命運就沒有像清水國小那麼幸運了，自從中部大地震倒塌之後，雖然當地的仕紳曾籌組重建事宜，但卻因為適逢 1937 年中日戰爭爆發而宣告中斷，將廟產與經費委託給清水街役場（也就是今

古色古香清水國小活古蹟。

天的清水區公所）管理，而原本的文昌帝君，就暫時被請到紫雲巖供奉。時至今日，因為文昌廟未能重建，文昌帝君就一直供奉在紫雲巖左手邊樓梯上去的二樓殿堂裡面，雖然 2007 年與 2010 年都有要重建文昌祠的聲音出現，但文昌祠至今還是尚未重建，遺址位於清水街旁的臺灣電力公司與旁邊的空地。

1935 年中部大地震，中山路慘況。

有利就有弊，因為中部大地震的關係，現在的清水其實幾乎沒辦法看到清朝末期與日治初期的房舍，因為早期的土角厝與磚厝大都不耐震，在地震中倒塌後重新興建的房舍，在日本政府的指導下，都要在屋頂與樑柱興建Ｙ型的支撐樑柱，比如說今天在下湳趙宅的天水堂(43)，其兩進六護龍的建築形式，在護龍的房舍上就是有如Ｙ型支架這樣的避震措施。而 1935 年之後興建的建築風格，也不同於早期紅白鑲嵌華麗

下湳趙宅的天水堂，護龍房舍上有 Y 型支架的避震措施。

的巴洛克式建築，線條變得較為簡約，顏色也較偏暗黃、褐綠色。

街上只有一些極少數成功撐過地震的建築物，包含位於新生巷與中興街路口的李宅，現在仍是街上重要而難得的歷史建築，興建於 1931 年左右，距今八十多年，正是街區中維二僅存當時的建築物，李宅的主人在日治時期是做帽子的出口貿易，因此累積了足夠的財富修建此一古色古香的宅邸。從老照片中曾發現李宅的三樓曾經是一尖塔，但因為二次大戰的時候，怕美軍空襲目標太為明顯而拆除。

另外一棟則是位於文昌街與新興路交叉口的金足成銀樓。文昌街舊稱「十八坎」，在地震後的都市規劃中，被規劃為清水第一條商店街，又稱作鈴蘭街，為什麼會稱作鈴蘭街，是因為這條街道的兩邊設置了鈴蘭燈，為現代化電力設施的見證。此鈴蘭燈現已拆除，但是其模樣與今天臺中市區中山路上的燈座一樣，只是清水的街道較窄，所以只有三顆

位於新生巷與中興街路口的李宅。

鈴蘭燈，但中山路上的燈座則是五顆燈。這條商店街上販賣的是當時最熱門的商品，包含了西裝、中藥材、各式舶來品、金銀珠寶等，來到這條街就好像上百貨公司一樣，十分熱鬧，所以又被稱為小銀座。現在的文昌街上，尚有幾間年代久遠的藥房、金樓，但是因為曾經有部分建築在重建後又遭遇祝融，所以街上只剩下一小部分還可以看到四〇年代重建的兩層樓建築風格，簡單典雅。

文昌街與金足成銀樓。

中部大地震時，商店街受損情形。

第七章

戰爭後的遺跡

清水鬼洞與大楊油庫

清水鬼洞

在鰲峰山下那間唱片行轉型的咖啡店裡，總有一些客人會邊啜飲著咖啡，邊閒散地聊些不經意的話題，有時不小心說到了心坎上，滔滔不絕地講滿一個小時而不停歇，有的時候他們不是想喝咖啡，而是需要一個聽眾。

清水鬼洞。（蔡杏元／繪）

阿福就是其中一位常客，他每天醒來後都會來喝兩杯拿鐵，提振精神，聊一下再去工作，又或是去海邊釣魚。他們家以前是做印刷廠的，小時候阿祖曾經當過清水的保正，因此他說他自己從小就是一個紈褲子弟，到處玩耍，那個年代的清水人，都一定會去虎頭崎旁的山洞探險，他們都知道，山裡面有很多坑道，有的坑道能走，有的坑道崩塌了，聽說最遠的可以通到大甲溪畔，甚至還聽說能通到東海大學，究竟，日本軍方當初到底在這大肚山上，興建了多少的軍事設施呢？難以計數。

我們僅知道現在位於鰲峰山運動公園對面半山腰的清水鬼洞，興建於二次大戰末期，約莫是 1943 年至 1945 年間，當地老一輩的人都還記得當時日本軍方徵召每一戶出一個人力去幫忙修築坑道，又黑又暗的坑道裡呀，也的確發生過一些崩塌的事件，但還不至於到鬧鬼的傳說。那為什麼會有鬼洞的名字由來呢？其實一開始是叫做清水古洞的，但在某一次區公所辦的命名活動之後，就改名叫做清水鬼洞了。現在的清水鬼洞內部經過稍微整修，並在坑道牆邊裝上 LED 燈，還會隨著時間而變換顏色，讓坑道內的照明又多了點詭譎的氣氛。目前平常日只有預約團體客才會開放，但若是假日的話，早上九點到下午三點，為什麼只到三點呢？當地人笑稱因為三點後鬼就出來了。

清水鬼洞內部是由鵝卵石與鋼筋、混凝土興建而成的坑道，目前

清水鬼洞內部景致。

開放的部分坑道約 400 公尺，分為主坑道及副主坑道，以及聯絡副主坑道的支坑道，其中主坑道的高度 214 公分、寬約 216 公分；副主坑道的高度約 168 公分、寬度 85 公分，有些長得較高的人一走進副主坑道就需要一直彎著腰，不然就會撞到頂端，坑內每隔幾公尺就有寢室、儲藏室與崗哨，還配有廚房、儲水槽、廁所，以及機槍堡、狙擊區等軍事設施。

在機槍堡的空間裡，正好有可以瞭望遠方的橫向觀測孔，雖然有些被附近的樹林遮住，但還是可以看到遠方的高美海岸，原來，這裡會作為日軍打算死守臺灣的戰備坑道是有原因的，因為這整座大肚山脈，正好是最佳防守臺灣的地點，而鰲峰山上的清水鬼洞，更是眺望海邊的最佳區域，再往山上去就是舊時的公館機場（後來在國民政府來臺後擴大興建為清泉崗機場），作為航空、海運的交會之處，又有山坡作為制高點，種種因素都讓清水成為當時重要的根據地。

當地老一輩的人們也時常懷念著日本人當時的治理，雖然日本警察很可怕，但是對於一個小鎮的規劃與治理，卻是十分謹慎、認真的，所以當日本人離開臺灣的時候，就有謠傳日本人將一大筆黃金埋藏在大肚山的山腳下，也就是今日清水鬼洞延伸北側的山脈之間，在天氣好的時候，遙望那綠油油的山腳反射的金光，是陽光的閃爍，還是黃金的光芒呢？也許這一切都已經無從得知，但前人留給我們的是豐富

傳說在橫山腳下埋藏著日軍遺留下來的黃金。

的文化資產，與無盡的想像，等待後人的發掘。

大肚山上除了清水鬼洞之外，另外還有一段隱藏在山上遷村的故事。因為有這些軍事設施，使大肚山總是蒙上著一股神秘的面紗，直到最近才一一被解密開來。

遷村的故事

1956 年 8 月至 1958 年 5 月，政府根據「中美共同防禦條約」實施陽明山計畫，徵收大肚山臺地 1,400 公頃，擴建日治時期的公館機場，當時是遠東第一大空軍基地，並取抗日剿匪名將邱清泉之名，將此基地命名為「清泉崗」機場 (44)。

因為徵收土地的關係，將臺地附近大雅、沙鹿、清水及神岡等 472 戶居民，集體遷村至新社、石岡仙塘坪、埔里大坪頂及魚池鄉等地。遷入新社者，分別設新一村至新七村供其居住（分配於今大南、永源、復盛、協成、慶西、東興等里），其中來自清水東山里的住民安置於新一村、新二村及新三村；楊厝里的住民安置於新四村；吳厝里的住民安置於新五村；而來自沙鹿公館里的住民則安置於新七村。

當時收購大肚山住民原耕地及房屋時，協議將大南種苗繁殖場公有土地，分配給每一移民戶 90 坪建地，耕地部分則每一口分配一分地，

在清水靠近大楊油庫附近，總是很容易看到飛機。

以十年為期放領，期滿繳清土地價款後取得所有權。民國 45 年底完成陽明山計畫的移民作業，新社因而增加四分之一人口，成為臺灣中部最大宗的集體移民計畫。

越戰期間，臺灣曾經是美軍重要的中繼補給基地，之後隨著越戰及中美共同防禦條約的結束，曾在軍事上扮演關鍵角色的大楊油庫，也逐漸走進歷史。

1954 年，中美雙方簽定「中美共同防禦條約」，隔年 11 月，我國醫護隊飛往越南，外交部隨即於 12 月 16 日宣布與越南建立外交關係，直接、間接協助美國投入越戰。

美國全面介入越南戰爭的時間為 1965 年。1966 年 1 月，為支援對越作戰，美國 C-130 型大力士運輸機進駐臺灣，將清泉崗機場作為轟炸北越的後勤基地；同年，美軍於清水楊厝里興建油庫 7 座，面積達 16 公頃，土地為國有地，興建目的是為了供應越戰期間美軍戰鬥機及 B52 轟炸機的飛機用油。每座油槽設有防溢堤，東西向長 78 公尺，南北向長 79 公尺，牆高 1.5 公尺；油槽直徑約 28.4 公尺，高約 16 公尺，鋼板厚度 0.9 至 1.5 公分。

在 1962 至 1975 年的越戰期間，美軍 B52 轟炸機在關島滿載炸彈起飛至越南進行轟炸任務；回程在南中國海的上空加油後再飛回關島，空中加油機是由波音七〇

在軍事上扮演關鍵角色的大楊油庫。

大楊油庫。（牛罵頭文化協進會／提供）

大楊油庫的興建與越戰戰事息息相關。

七所改裝的 KC-135。

美軍油輪停泊在高美海域，透過埋設在大甲溪出海口南邊以土堤固定的油管，先將油料輸送到高北里的加壓站；然後順著埋設在大甲溪河堤路旁的油管，一路將油料往東溯溪而上送往頂湳里的客庄，並在客庄的坑口公廟拐彎上山，直接送到設在楊厝里的 7 座大型油槽中。這些油槽在越戰結束之後其實就再無使用。

直到 2000 年 2 月，空軍發包委由廠商要拆除油槽，大楊油庫 (45)

三清宮廟旁有著巨大油管，另一頭連接著油槽，早已廢置多時。

的存廢開始引起熱烈討論。當時在臺中縣政府、臺中縣文化局、牛罵頭文化協進會及在地熱心人士的努力之下，透過一系列活動，募得新臺幣 60 萬元，購下僅存的一座油庫，讓文史工作團隊及當地居民，得以繼續延伸新的夢想與希望。

大楊油庫保存運動，靈感來自日本的「三笠（Mikasa）旗艦之友會」。三笠旗艦是日本人在日俄戰爭時向英國購買的一艘軍艦，因戰爭時受到損壞，昭和十年（1935）以「三笠旗艦之友會」的方式向全

國募款，以維修受損部分，認捐者可獲得三笠旗艦之友會證書一張。三笠旗艦在二次大戰後退役，後來於橫須賀軍港建了一座「三笠旗艦會館」，專門存放船上使用過的軍品，並開放民眾參觀；三笠旗艦之友會的會員可憑證免費登艦或參觀會館。大楊油庫保存運動學習日本三笠旗艦的保存方式，成功發動了 600 位股東協助認養「油庫之友卡」，創下民間團體進行文化資產保存的典範。

油庫被保護後，有越來越多的遊客為了尋覓私房的景點而來到此處參觀，每次近距離看油庫，總是感到十分的震撼，難以想像當年原來曾經有 7 座油庫的故事。直到 2014 年，大楊油庫及周遭設施才正式公告為文化資產歷史建築。幸好油庫佇立在這塊土地之上，才得以讓更多人親眼見證這一段歷史的存在。

清水外海處空拍圖，油管遺跡清晰可見。

大肚山的紅土景觀。

第八章

清水人的心靈庇佑

紫雲巖與石埠

臺灣靠海的鄉鎮大都是以媽祖廟為主要的信仰中心，如後龍的慈雲宮、白沙屯的拱天宮、通霄的慈惠宮、苑裡的慈和宮、大甲的鎮瀾宮等，皆是海線各個鄉鎮的信仰中心。但是在清水，卻是以紫雲巖 (46) 觀音佛祖作為當地大多數人們的信仰中心，這個謎團雖然一直到現在還是

清水紫雲巖。
（蔡杏元／繪）

無法被解開，但可以從諸多的跡象推測其原因。

當初在日治時期，日本政府因為要推行皇民化運動，禁止臺灣人祭祀祖先或是傳統的信仰，當時也曾勒令關閉許多廟宇，希望民眾能夠轉向祭拜神社，但紫雲巖因為供奉了一座由當時的街長楊肇嘉先生從日本請回來的日本佛像分身，因而躲過一劫。

紫雲巖的歷史可推估到康熙元年，據說有一位從西邊大陸來的瓦匠，在經過現在的紫雲巖附近時，坐在樹下休息，因為怕隨身攜帶的觀音佛祖香火袋被污染到，就將它掛在樹上，殊不知這個香火袋就這樣被遺落了下來，當地人在晚上經過的時候看到香火袋在樹上發光，皆議論紛紛，爭相膜拜。據說當時因為十分靈驗，信眾越來越多後，開始有人提議建廟，遂公推蕭成公辦理建廟事宜，並立長生祿位於廟中奉祀，長生祿位上寫著「饒邑施租功德主蕭、林、蔡氏長生祿位」。雍正年間，此廟曾受到洪水的侵襲，損壞不少，但因為有盧氏大德發起重修，才能夠屹立不搖的延續至今。

紫雲巖創建的歷史，一直眾說紛紜。在廟史上記載著，乾隆年間，有一位從泉州來臺經商，名叫蒲文良的人，在坐船返回福建的時候，遇到海上風浪甚大，擔心自己會遇到海難，突然想起清水的紫雲巖觀音菩薩很靈驗，因而下跪虔誠祝禱，此時突然看到海上有一白衣女子現身，隨後即風平浪靜。為了感謝觀音佛祖的恩德，他就此留在臺灣，並捐資興產，購置田產作為廟產，投注在公益活動上，讓之後紫雲巖舉辦的儀式活動不虞匱乏。為了感念他的恩德，廟中也奉祀了他的牌位「檀越主蒲諱文良元辰星君福垣」，而這個牌位也成為我們現在推估廟史的見證。因為蒲氏重建廟宇在乾隆 15 年完成，清朝以降的文獻，大都將紫雲巖的建廟之始寫於乾隆 15 年，但是若仔細推敲牌位與廟宇的關係，時間應該可以再更往前推進一點。

在後續的碑文、史料中，也可常看到清水蒲氏以在地業戶或是在地土目的身份出現。在洪麗完老師的《熟番社會與集體網絡》一書中，曾有一段話寫到：「清水平原牛罵社的蒲氏族人曾到泉州迎接媽祖來臺並建立壽天宮，並自稱是祖籍泉州。」因此，紫雲巖這段創建的歷史來源，也很有可能是平埔族人為了宣稱自己跟漢文化的關係濃厚，以提升自己地位而產生的一種論述。但也有另一種可能，蒲氏族人真的是從泉州來到臺灣，但是他們與當時牛罵社的女子通婚，形成掌握牛罵社大多土地的業戶大租戶。這個部分究竟真相為何，依然值得探究（洪麗完 2009 年）。

在林美容關於巖仔跟觀音信仰的關係研究中，將巖的廟宇置放於佛寺與地方宮廟之間，巖不同於佛寺有出家的僧侶修行，但又不像一般的香火廟宇不會供奉納骨塔，大多座落於山邊山明水秀之處，被視為閩南漳泉移民帶到臺灣的信仰，但又是佛教世俗化的現象。所以臺灣其他地方的巖，大多成為名勝，像是彰化社頭的清水巖，又或是桃園壽山巖等，而清水紫雲巖最具特色之處，在於成為跨地域的信仰中心（林美容 2004 年）。

常常有許多人進到紫雲巖裡即感受到一種肅穆寧靜的感受，可能是來自於那些在地的婆婆媽媽，會輪流到紫雲巖裡面找個位置坐下來念經，那些念經的聲音形成了一環繞的磁場，每一個人都不敢大聲驚擾這寧靜的感受。

中元普渡

文獻中記載，紫雲巖的祭祀範圍達 53 庄，雖然從 1904 年的臺灣堡圖上來數清水各地的庄名，的確可以達到 53 庄，但 53 庄可能也只是一個虛數，無法確切的考證。但若從今日中元普渡 (47) 的執行方式來看，紫雲巖確實是跨地域的信仰中心。農曆 7 月初，紫雲巖前即豎起了「燈篙」，這個燈篙是選擇高約兩三層樓頭尾完好的竹子，在竹子上頭綁了一個燈座，將此竹子立在廟前左方，並架起了棚子；中午過後，會請廟裡的法師念經，附近的婆婆媽媽就開始攜帶了自家準備的供品，一起拜燈篙。

在民間宗教儀式中，豎起燈篙是要作醮前必須做的事情，只有夠大的寺廟才會在廟前立燈蒿，目的是希望讓夜晚遊蕩的孤魂野鬼能夠看到廟前的燈光，進而前來接受普渡，而紫雲巖總是在7月初就豎起燈篙，但等到7月21日才建醮普渡。

清水共有32個里，每年的中元普渡會輪值三個里做爐主，像是2016年農曆7月21日的普渡盛會，就是由火車站後的南社里、靠近高

紫雲巖普渡盛況。

美溼地的高北里及大肚山上的吳厝里輪值。以往輪值到的里民都是自己準備供奉的菜色，但是現在漸漸地是由每一里的里長代辦，向地方上的家戶收普渡的費用，然後再統一採買供品。因為每一里的里長是爐主，也需要另外準備主普渡的祭壇，有較多里民或是較富裕的里，就可以準備較多的菜餚，包含全豬、麵粉做成的全羊、全雞等，還有一盤盤豐盛

晚上的紫雲巖普渡情景。

的菜色與乾糧，甚至還有製作龍型冰雕，引人注目。這些在作醮中被稱為看牲的，即是用來觀賞用的牲禮，而看桌、看碗就是像冰雕、各式菜色乾糧等，供人欣賞之用。

普渡期間，紫雲巖前面的攤販都必須暫時撤至遠處，普渡前三天開始封街，不讓車子進出原本的停車場，並架起鐵桌，整片紫雲巖前廣場滿滿都是普渡用的桌子。普渡當天中午一過，桌上就開始放置供品，廟前也架起歌仔戲看臺與主醮臺，以及放置在文化大樓一樓的普渡公塑像，從下午開始拜到午夜子時才結束，因為祭拜的時候，旁邊有許多的民眾等著要收祭品，所以附近也有許多夜市攤販順便賣小吃，一時之間，整個小鎮街區熱鬧非凡。

觀音媽生

平時可以跟中元普渡媲美的熱鬧日子，就是紫雲巖觀音佛祖的三個生日當天。相傳觀音佛祖有三個生日，分別是出生、成道與出家，也就是農曆 2 月 19 日、6 月 19 日與 9 月 19 日。每到這三個日子，紫雲巖從一大早就有許多的信眾會前往拜拜，然後到了晚上，紫雲巖前面的中興街與鄰近的街道，就會湧入許多攤販，應該是看準了人潮會一直不

右圖：紫雲巖中元普渡的燈篙照。

斷地湧入拜拜，一直延續到晚間。不僅販賣小吃、還販售各式各樣的小貨品，猶如小夜市般，這時候住在街上的人們，就會趁機出來散步、逛逛夜市、吃小吃，觀音廟附近的店家生意也會特別的好。

同時，觀音廟前與南海岩，也都會擺起了兩到三輛不等的變形舞臺車，邀請在地的歌友會、社團組織，以及熱門的鋼管女郎、舞蹈團前來表演。一場觀音媽生的慶祝活動，總是可以吸引在地的人潮，猶如觀世音菩薩的大型嘉年華會，讓整個小鎮熱鬧無比。

除此之外，當地人之所以會對紫雲巖有親近的感受，也來自於紫雲巖興建的文化大樓，以及它所辦理的眾多藝文比賽。在紫雲巖對面的文化大樓裡，有提供當地學子借書、唸書的圖書館，每年也都會辦理圍棋、書法、象棋、桌球等比賽，以及元宵燈會的花燈比賽等，都讓清水甚至海線的人們蜂擁而至。因此只要有人提到紫雲巖，總是會感受到其樂善好施、造福鄉里的那一面，彷彿永遠支持著你的母親般，溫柔真摯。

石埠景觀 (48)

整個大肚山北側，有兩條小河流由東向西，切穿流過鰲峰山與虎頭崎之間，一是米粉寮溪、二是南邊發源自西勢的橋頭寮溪。兩條溪匯

右圖：綿延不絕的石埠景色 。

百年石埠已是清水最獨特的景致之一。

流成米粉寮大排，往高美溼地流去。在米粉寮大排的兩旁，留有從日治時期就開始整治並建設的百年石埠，每年農曆 7 月 20 日左右，住在石埠附近的居民，都會前來祭拜石埠，超渡好兄弟。

早期的米粉寮溪與橋頭寮溪，只要遇到大雨，就會從山上沖刷著鵝卵石、泥沙滾滾而下，在那個河道整治尚未那麼完善的年代，這些大水常常淹到山邊的民宅，山邊的紫雲巖也有遭受洪水侵襲而重建的紀

1956 年米粉寮溪溪水暴漲的樣子。

錄，也發生過幾次當地人在河裡面玩水被沖走的經驗。因此，治水一直都是此地十分重要的議題之一。水患在石埤興建之後減少許多，後來在國民政府來臺後，又陸陸續續經過整治，才變成今日模樣。

從老照片中可得知，早在日治時期日本與臺灣的工程師就開始運用當地的鵝卵石素材，建築簡單的堤防，運用堆疊的方式，每一個鵝卵石的周邊都圍繞著 6、7 個鵝卵石，形成如龜殼上的花紋般的造型，因

早期拍下的石埠景觀。（蔡正文／提供）

為每一個鵝卵石都有周圍石頭的支撐，互相堆疊而不易動搖，從側面看整座堤防呈現的即是梯形的形狀，藉此鞏固山邊居民的安全，在地人俗稱「石埠」。

早期重男輕女的觀念還盛行時，還曾聽說過有人將剛出生的小女嬰，放在河道的橋上，讓水沖走。因此，當地的居民們都覺得這個地方挺險的，除非必要，晚上是絕對不會經過這裡。

據當地人的說法，因為當年八七水災的時候這裡曾有過嚴重的水

每逢農曆 7 月 20 日，家家戶戶便會祭拜石埠。

災，當時紫雲巖的觀音媽就顯靈，要當地人趕快準備牲禮犒賞兵馬，才不會再有水災的出現，還有人說，曾經在水災的時候看到白色的女子騎著馬經過，因此，才有了在農曆 7 月 20 日敬拜石埠的習俗。每到農曆 7 月 20 日，住在石埠附近的民家，就會準備如 7 月半中元節一樣豐盛的菜餚，前面一桌祭拜普渡公，後面一桌祭拜好兄弟，將桌子面對石埠，拿香祭拜，祈求平安順利。

在石埠旁由米粉寮溪跟橋頭寮溪沖出來的空地上打太極拳的婆婆

遊客踏著石埠的路，繼續向前。

媽媽們，每一戶人家會花 500 元，委託人統一採買祭拜的物品，一包包用袋子裝著，就在 7 月 20 日當天，於平常打太極拳的空地旁水泥地上擺上一張桌子，祭拜石埠，祈求生活平安。

因為石埠與當地人居民的生活安全息息相關，也因為有石埠阻擋了洪水的侵襲，不僅讓山邊的居民們安全無虞，倚靠著山邊而興建的紫雲巖才能夠安然無恙。

第九章

清水之水、水之清水

永不褪色的小鎮風情

清水之所以會被稱作清水，有兩個說法，一是說因為清水有豐沛的湧泉，一直以來都使街區的人們不受缺水之苦，所以在 1921 年日治時期的時候從牛罵頭改名為清水。另外一個說法則是因為當時已經被日本統治近 40 年，日本人開始有意識的要將臺灣的各個地名轉變成日本的地名，加上當時海線鐵道也已經開始興建，1921 年 12 月 15 日從今臺中追分車站通車到清水站，而清水站，其實與日本靜岡縣清水市同名，也就是家喻戶曉的櫻桃小丸子的故鄉。巧合的是，在海線鐵道上的大山站、日南站與追分站，也都與日本的車站同名。因此，兩種說法都有人說，只是官方說法還是以前者為主。

在《彰化縣志》上記載著:「鰲頭山:在縣治西三十里。山形似鰲頭，因以為名。北接蓬山，南連沙轆山，多平坦，可墾為園。」這裡的鰲頭山，即是今日的鰲峰山，蓬山指的是苑裡的蓬山，表示當時山邊的土地，多數平坦，可以開墾為園地。於書中也記載著：「寓鰲頭泉：在寓鰲頭山下。泉從石隙流出，清甘絕倫，里人多汲焉。山下田數千畝，皆藉灌溉，大旱不涸。」因此，自古以來，寓鰲頭街上的人們其實都不受缺水之苦。需要取水、洗衣服，就到寓鰲頭泉取水。

依《諸羅縣誌》所載:「凡築堤蓄水灌田，謂之埤（陂）；或決山泉，或導溪流，遠者數十里，近亦數里。」由此可知埤的水源，是供應當地水源使用所需。雍正年間來臺的漢人，即在此成立埤頭庄，並由楊同興

清水的發展與水圳息息相關。（蔡杏元／繪）

號的楊澄若、楊丕若等人開始修築埤仔口圳，不僅是市區主要的灌溉水源，也是民生重要的用水。

除了埤仔口圳之外，清水還有五福圳(49)，更是灌溉了清水、沙鹿、梧棲三千多公頃的農田。五福圳舊名稱作大甲溪圳或牛罵頭圳，於雍正11年（1733年）間開始興建，一開始由牛罵頭土官提倡，再由庄民合作開鑿，距今已經有二百七十多年的歷史。

一開始取水的地點是在靠近朴仔口埤頭（豐原與石岡一帶），與葫蘆墩圳同水源，到大甲溪左岸的朴仔籬分水，葫蘆墩圳得七分、五福圳的三分，並築堤防至今清水海風里 。但現在取水口已經改到海風里的大甲溪南岸（楊厝寮的客庄堤防），向南邊引流。

埤仔口今日景致。（趙雨儂／攝）

明治40年（1904年）時，政府合併原五福圳、金裕本圳、國姓圳、高美圳、埤仔口圳，統稱五福圳。從大甲溪取水口引水進入頂湳、下湳等里，流進清水街區後，經過龍門社區靠近特一號道路處，再分二條圳流入鹿寮地區：一條沿縱貫鐵路南流至鹿寮成衣商圈西側，再往西、往南分流入梧棲鎮；另一條則沿著星河路往南流，穿過中山路，進入鹿寮成衣商圈，接納竹林北溪、竹林南溪後，即為三條圳大排。這些水圳影響著廣大海線居民的生計，兩百多年來貢獻極大。

在今日的梧棲大庄浩天宮，更藏有一珍貴的石碑「五福圳告示」碑，此碑敘述著在清光緒20年（1894年），為調解五福圳水權之爭奪所立碑示，係因當時下游處大肚西保蔡源順號等稟控上游墩仔腳（於現今臺中市后里區），與張程材等人爭水滋鬧一事，本來在溪水豐沛的時候，兩邊的水源皆是使用灌溉無虞，但因為這一年適逢旱年，水源不足，常常流到沙鹿梧棲就近乾涸，因此由當時的大租戶蔡源順號代表向官府控告，後來由臺灣府知府斷定大肚西保原有三分之水，而墩仔腳本無水分，且其毗鄰大安溪，應儘可設法開濬引灌，各自凜遵，不得再啟爭端。此碑現在保存在浩天宮三川門內虎邊門後方牆上，平常都被門給掩住，若非特別詢問廟方人員，或是稍微打開門，一般人是看不太到的。石碑高135公分、寬50公分，以花崗岩打製，石碑最上端刻「五福圳告示」五字，碑文字跡清晰，是五福圳水權爭奪的最佳見證。

日治時埤仔口的洗衣婦。（陳清淵／提供）

早期海線居民皆是以農業為主要的收入來源，即使是大戶人家也必須靠收租來維持家計，因此農田是最重要的資本，而灌溉水源的取得，更是農田是否豐收的關鍵，因此，水利設施自然是極為重要的關鍵。除了農業灌溉用水之外，水也攸關著民生。

臺灣在日治時期，才開始了自來水設施的建設，1896 年，後藤新平擔任臺灣總督府的衛生顧問，這位曾參與日本東京自來水與汙水下水道興建的技術官僚，邀請當時在日本教書的英國籍技術人員巴爾頓（W. K. Burton）(50) 至全臺，包含基隆、淡水、臺北、新竹、臺中、臺南、嘉義、鳳山、澎湖等地展開衛生工程調查活動，並著手規劃、建立臺灣自來水系統。至 1917 年，全臺共建立了 16 座包括過濾、消毒、儲水與送水的現代自來水系統（黎德星 2015 年），其中在臺中則是臺中市與大甲兩處水道。

但是清水的自來水水道設施普及較晚，大概是因為清水的湧泉極為發達，家戶已經習慣於取湧泉，或是從家中冒出的地下水。所以清水的自來水道遲至 1926 年時，才由大甲郡和清水街的當局力主設立自來水之必要，臺中州政府補助 20,000 元、街區議會全會一致贊成發行街債 70,000 元、街費投入 4,000 元，總共花了 94,000 元而開始建設（蔡紹斌 1997 年）。

左圖：1929 年，自來水廠落成時的照片。

水道灌溉區域圖。（蔡春源／提供）

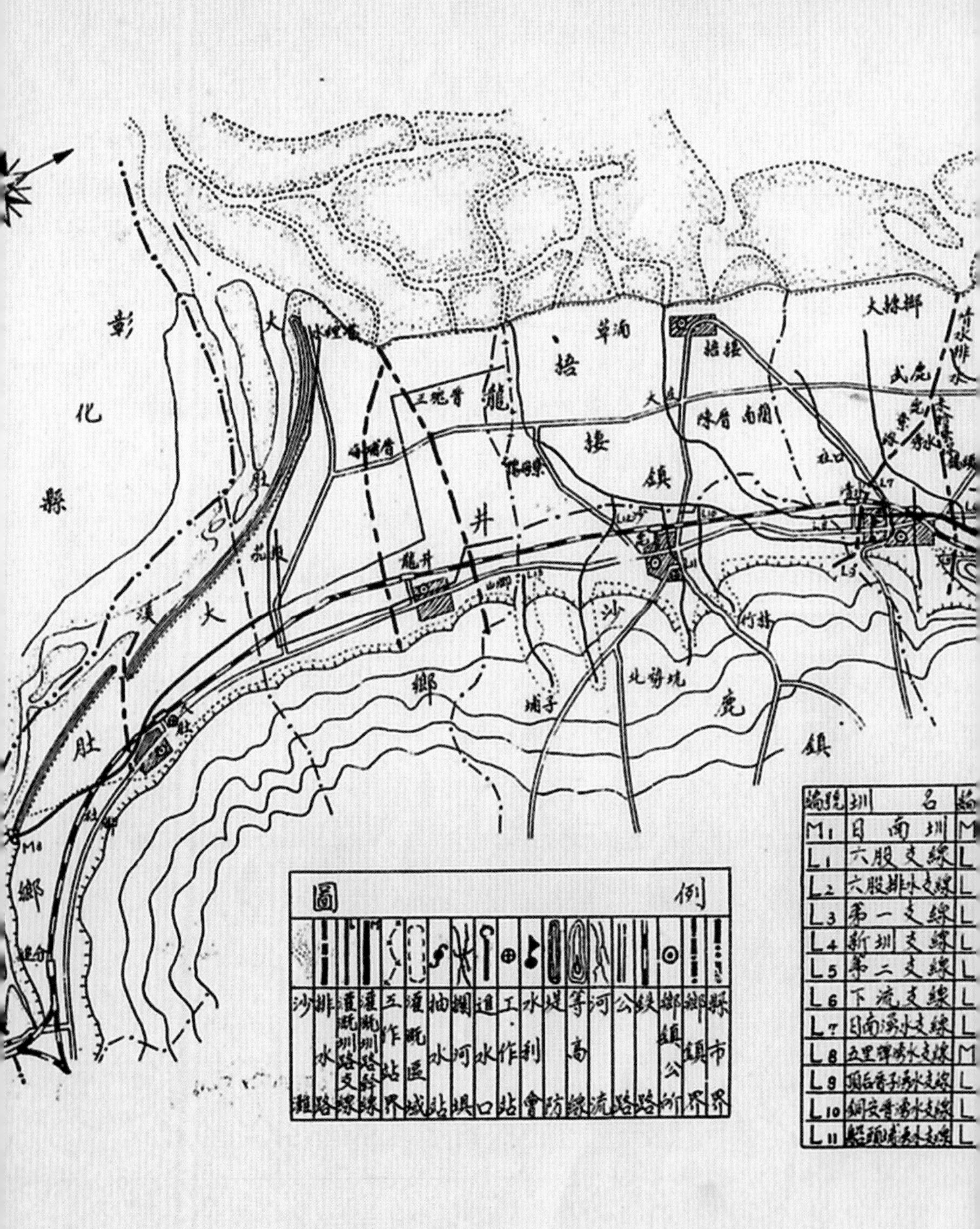

既　灌

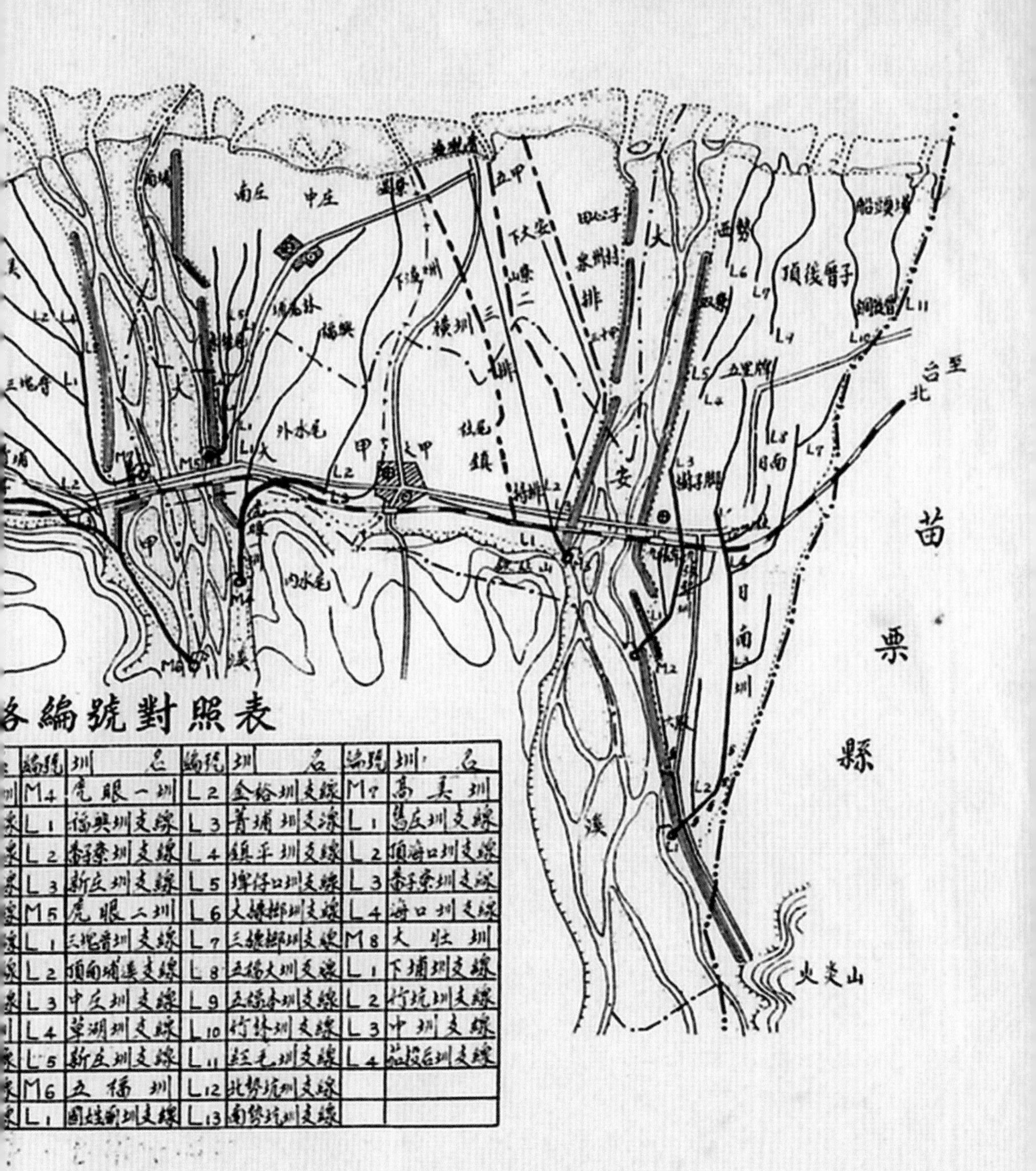

各編號對照表

	編號	圳　　名	編號	圳　　名	編號	圳　　名
圳	M4	虎眼一圳	L2	金裕圳支線	M7	高美圳
線	L1	福興圳支線	L3	菁埔圳支線	L1	高庄圳支線
線	L2	番仔寮圳支線	L4	鎮平圳支線	L2	頂海口圳支線
線	L3	新庄圳支線	L5	埤仔口圳支線	L3	番仔寮圳支線
線	M5	虎眼二圳	L6	大塊鄉圳支線	L4	海口圳支線
線	L1	三塊厝圳支線	L7	三塊鄉圳支線	M8	大肚圳
線	L2	頂南埔溝支線	L8	五福大圳支線	L1	下埔圳支線
線	L3	中庄圳支線	L9	五福舍圳支線	L2	竹坑圳支線
圳	L4	草湖圳支線	L10	竹林圳支線	L3	中圳支線
線	L5	新庄圳支線	L11	紅毛圳支線	L4	茄投后圳支線
線	M6	五福圳	L12	北勢坑圳支線		
線	L1	國姓前圳支線	L13	南勢坑圳支線		

此時的自來水是埋管的自來水，清水自來水的特色在於，埤仔口靈泉的水源非常接近清水街上，不需要長距離的飲水設施，可以省下大筆的拉管線經費；淨水池的用地基礎也不需要施工整地打地基，鰲峰山半山腰的丘陵地上即是一現成的地勢，只要抽取靈泉的水，用馬達將水打上到淨水池裡淨水，再用管線引水到各個家中即可。因為靈泉的水是從岩間的縫隙滲透而出，水質十分清澈，不需要沉澱池或是過濾池，再加上水量豐沛，終年無缺水的危機，使得建設自來水設施水到渠成。由1929 年的老照片上可看到，鰲峰山半山腰上，偌大的圓形集水池即為水道廠，可以用來過濾水源，提供民眾乾淨的用水，直到現在依然服務著清水的居民。

未完成的新高港都市計畫

除了水利設施之外，在 1935 年中部大地震之後，日本政府開啟了第一波的都市計畫，將清水街區的街道重新規劃，成為棋盤狀的方格，直角型的街道，舊時清朝留下來的小巷子至今也大概只剩下營盤巷與董公街。當時日本開始推廣南向政策，試圖擴大帝國的殖民版圖，因此在1938 年的時候，日本政府開啟了新高港的興建計畫，要將梧棲港建設

左圖：五福圳告示碑，現藏於梧棲浩天宮。

為臺灣中部重要的吞吐港口，預計要將大甲、清水、梧棲、沙鹿、龍井合併起來作為新高市。新高此名來自於當時他們將玉山稱作為新高山，而梧棲港也改名為新高港，開始了築港工程，1939 年時日本總督小林磯造，就曾蒞臨清水參與新高港的開工典禮。

當時為了供應港口的電力來源，在計畫中也包含了開發大甲溪的水力發電，以及鐵路與煉油廠。今日的臺中港支線，其實就是當時為了要運送建港的材料而架設的，當時稱作甲南梧棲線，而南邊還有一段從龍井延伸上來的鐵道線，預計要跟甲南梧棲線在新高港會合，而在此處形成一環狀的鐵路線，以方便運送各式各樣的貨品與人員。但是後半段鐵路因為開工沒多久就遇到二次大戰尾聲，在半路夭折而未能完成。

除了鐵路之外，1943 年 7 月日本政府在臺灣設置第六海軍燃料廠的計畫正式完成，第六海軍燃料廠在高雄本廠成立精製部，新竹支廠成立合成部，新高支廠，也就是今日的清水跟梧棲間的大�地區成立化成部，以供給航空作戰需要。高雄廠製造的是艦艇用重油、航空原料揮發油、航空潤滑油，新竹廠以蔗糖為原料製造丁醇、用松根原料研製松根油；新高廠製造航空潤滑油，均考慮戰時原料取得、產製與使用的地區（林身振、林炳炎 2013 年；霍鵬程 、趙家麟 2013 年）。原料則是使用來自南洋的椰子油，在此裂解完成後，再運送出去給軍用飛機使用。

海軍煉油廠地面積其實十分大，除了廠區還包含許多工人們的宿

現在的自來水廠。

舍，在日本政府撤退之後，這些老房子就由從大陸撤退來臺的空軍眷屬、修理飛機的相關人員們進住，也就是後來被稱為銀聯二村(51)的等聚落。海軍煉油廠則變成空軍發動機製造廠，只是可惜現在海軍煉油廠已經成為一片廢墟，這段歷史也逐漸隱沒在荒煙蔓草之中。

當時日本政府對於臺中海線的開發計畫，其實十分完整，且是立基於殖民帝國的規劃，這個計畫的設計者，即是當時擔任偽滿洲國的總務長官、內閣規劃院長官和書記官長等職位的星野直樹，是日本軍國主義戰時財政政策的推行者，也是將中國東北所有經濟部門掌握在手中的主要重要人物。

日本在這時候將臺灣作為南向政策的基地，因此以整個大東亞為思考的方向規劃，只可惜這個新高港及新高市計畫，在 1945 年日本戰敗前就因為經費不夠而被迫中斷。否則今日的臺中海線發展的速度，可能會比我們想像得還要飛快。

第二波海線的都市計畫，在 1970 年十大建設的臺中港計畫 (52) 才又開始，這個時候的臺中港築港計劃，基本上是延續舊時的新高港計劃而來，整個海線也被劃入臺中港特定區的規劃之中，但是這次的計畫案，卻沒有讓臺中港的發展與其周邊的臺中港特定區緊密的連結，加上臺中港

五福圳清澈的水流引自大甲溪，是灌溉此地農田的重要用水。

特定區長期缺乏專責單位的推動，人口成長不如預期，公共設施開闢建設緩慢，原計畫的規劃內容與實際發展狀況不甚相符等，導致此計畫推動地並不順暢。

這些納入特定計畫區的用地，因為徵收經費龐大而未徵收，但地主也無法將地處理掉，就這樣懸宕了三十幾年，直到最近才有幾塊地通過解編，將土地還給原地主，原地主就可以重新決定土地的使用方式，不管是要賣還是要建設都可以。所以未來臺中的海線會如何發展，其實很難判斷，那都市開發是否可以跟文化保存共存共榮呢？也許就需要看當代的眾人的共識了。

附錄

清水大事記

年代	大事記
荷蘭時代（1655 年）	荷蘭文獻調查得知牛罵社有 79 戶 239 人。
康熙 22 年（1683 年）	鄭克塽降清，臺灣正式納入清朝版圖。
康熙 36 年（1697 年）	郁永河經過牛罵社因大甲溪水暴漲而住了十日。
雍正元年（1723 年）	虎尾溪到大甲溪南岸之間劃為彰化縣治。
雍正 10 年（1732 年）	大甲西社事件後牛罵社改名為感恩社。
雍正 11 年（1733 年）	開鑿五福圳，灌溉面積涵蓋清水、梧棲、沙鹿。
乾隆 15 年（1750 年）	創建紫雲巖。
乾隆 51 年（1786 年）	林爽文事件。

乾隆 53 年（1788 年）	三山國王廟創建。
嘉慶 17 年（1812 年）	大街路上的開基福德祠創建。
道光 17 年（1837 年）	設置義渡碑。
道光 25 年（1845 年）	倡建文昌祠與成立鰲峰書院。
咸豐元年（1851 年）	埤仔口的蔡鴻猷中文舉人，為清水第一位獲科舉功名的人。
光緒 9 年（1883 年）	廖添丁生於清水臭水莊（秀水里）。
明治 28 年（1895 年）	北白川宮能久親王下塌清水。 基督長老教會創建。
明治 30 年（1897 年）	創設牛罵頭公學校（即清水國小）。
大正 2 年（1913 年）	蔡惠如、陳基六創鰲西詩社。

大正 9 年（1920 年）	改制為臺中州大甲郡清水街，楊肇嘉為首任街長。
大正 11 年（1922 年）	海線縱貫鐵路通車。
昭和 4 年（1929 年）	設立清水自來水廠。
昭和 10 年（1935 年）	發生墩仔腳大地震（即中部大地震），清水街死亡約 330 人。
昭和 12 年（1937 年）	清水神社竣工。
昭和 13 年（1938 年）	開啟新高港計劃。
昭和 18 年（1943 年）	清水鬼洞完工。
民國 34 年（1945 年）	政權移轉，街庄制改為鎮鄉。
民國 41 年（1952 年）	天主堂創建。

民國 46 年（1957 年）	為擴建清泉岡空軍基地，將清水大楊地區內約四千多公頃的人們遷徙到新社、埔里等地。
民國 55 年（1966 年）	在大楊地區（今海風里）成立七座油庫，以供應美軍越戰之用途。
民國 62 年（1973 年）	開始興建臺中港。
民國 84 年（1995 年）	第一場牛罵頭藝文季。
民國 89 年（2000 年）	發行油庫之友卡。 港都藝術中心正式開幕營運。
民國 91 年（2002 年）	牛罵頭遺址公告為縣定遺址，並成立牛罵頭遺址文化園區。
民國 93 年（2004 年）	高美溼地劃為野生動物保留區。
民國 99 年（2010 年）	臺中縣市合併升格為直轄市，清水鎮改制為清水區。
民國 103 年（2014 年）	鰲峰山運動公園整修落成。 大楊油庫及周遭設施正式公告為文化資產歷史建築。

參考書目

書籍

1. 郁永河，《裨海紀遊》，臺北：臺灣銀行經濟研究室，1959。
2. 黃叔璥，《臺海使槎錄》，雅堂叢刊（二），南投：臺灣省文獻會，1975。
3. 周璽，《彰化縣志》，臺北：大通，1986。
4. 周鍾瑄、陳夢林，《諸羅縣志》，臺北：臺灣文縣叢刊第 141 種，1961。
5. 蔡紹斌，《清水第一街：大街路尋旅溯源》，臺北：地景企業公司，1997。
6. 蔡紹斌，《解讀清水國小百年影像史》，臺北：地景企業公司，1998。
7. 謝金蓉，《蔡惠如與他的時代》，臺北：國立臺灣大學出版中心，2005。
8. 臺灣銀行經濟研究室編，《清代臺灣大租調查報告書》，臺灣文獻叢刊第 152 種，臺北：臺灣銀行經濟研究室編印，1963。
9. 計文德，《平埔族拍瀑拉族群之研究》，臺北：五南，2006。
10. 洪麗完，《熟番社會與集體網絡：臺灣中部平埔族群歷史變遷（1700-1900）》，臺北：聯經出版公司，2009。

11. 邵式柏（John R. Shepherd）著，林偉盛、張隆志、林文凱、蔡耀緯 譯，《臺灣邊疆的治理與政治經濟（1600-1800）》，臺北：臺大出版中心，2016。

12. 臺中縣立文化中心，《牛罵頭老照片集》，臺中:臺中縣立文化中心，1997。

13. 王正雄編，《回想清水，牛罵頭老照片集 2》，臺中：臺中縣立文化中心，1999。

14. 董倫岳，《咱懷念梧棲街新高港：老相片專輯》，臺中：臺中縣梧棲鎮公所，1998。

15. 陳德材編，《楊肇嘉先生百年冥誕紀念集》（未出版），1991。

16. 林身振、林炳炎，《第六海軍燃料廠探索：臺灣石油 / 石化工業發展基礎》，臺北：春暉出版社，2013。

研究報告

1. 劉益昌，《臺中縣清水地區史前文化與環境變遷研究結案報告 》，臺中縣文化局，2004

碩博士論文

1. 劉進榮，《清水紫雲巖與地方發展之研究》，臺南藝術大學環境與藝術研究所碩士論文，2007。
2. 高仕凡，《清水蔡泉成家族研究（1723-1945）》，國立臺灣師範大學歷史學系碩士論文，2013。

期刊

1. 劉斌雄，〈臺中縣清水鎮牛罵頭遺址調查報告〉，《臺灣文獻》（6）3: 69-83，1955。
2. 楊護源，〈清代臺中大甲溪南地區的聚落拓殖〉《興大歷史學報》第十七期：頁 457-508，2006。
3. 林美容，〈臺灣的民間佛教與巖仔的觀音信仰之社會實踐〉，《新世紀宗教研究》，卷 2，期 3，頁 1-34，2004。
4. 霍鵬程、趙家麟，〈大煙囪工廠場域：下忠貞新村生活空間與圖像轉換之研究〉，《竹塹文獻雜誌》，第 56 期（2013），頁 8-50。

報紙

1. 故北白川宮殿下にた昔の思ひ出（1917 年 10 月 22 日），臺灣日日新報，D05 版。

網路

1. 黎德星，臺灣飲、用水的前世今生：從國家化到市場化，巷子口社會學，https://twstreetcorner.org/2015/04/21/liderhsing/，（搜尋日期：2016/10/15）。
2. 臺灣總督府職員錄系統，http://who.ith.sinica.edu.tw/mpView.action（搜尋日期：2016/10/17）。

臺中學 4

國家圖書館出版品預行編目資料

海線散步：清水人文地誌學 / 吳長錕、賴萱珮 著. — 初版. — 臺中市 ： 臺中市政府文化局出版 ： 晴光文化發行， 2016. 12 面 ； 公分. —（臺中學；4）

ISBN 978-986-05-0442-2（平裝）

733.9/115 105020158

作　　者　吳長錕・賴萱珮
照片提供　吳長錕・賴萱珮・臺中市牛罵頭文化協進會

發 行 人　林佳龍
主　　編　王志誠
編輯委員　施純福・黃名亨・林敏棋・陳素秋・林承謨
執行編輯　陳兆華・范秀情・陳書伶・林耕震

出版單位　臺中市政府文化局
地　　址　臺中市西屯區臺灣大道三段 99 號惠中樓 8 樓
網　　址　http：//www.culture.taichung.gov.tw
電　　話　04-2228-9111
展 售 處　五南書局／ 04-2226-0330
臺中市中區中山路 6 號
國家書店松江門市／ 02-2518-0207
臺北市中山區松江路 209 號 1 樓

編輯製作　遠景出版事業有限公司
負 責 人　葉麗晴
主　　編　李偉涵
編　　輯　郭庭瑄
校　　對　郭庭瑄
美術設計　黃鈺菁

地　　址　新北市板橋區松柏街 65 號 5 樓
電　　話　02-2254-2899
傳　　真　02-2254-2136
劃撥戶名　晴光文化出版有限公司
劃撥帳號　19929057
總 經 銷　紅螞蟻圖書有限公司
初　　版　中華民國 105 年 12 月
定　　價　新臺幣 300 元
G P N　1010502290
I S B N　978-986-05-0442-2